Chères lectrices,

Voilà c'est fait ! Les changements que je vous annonçais en mai se concrétisent ce mois-ci et je devine qu'après avoir découvert le nouveau look de vos romans, vous vous demandez avec impatience quelles autres surprises vous réserve cette fameuse collection « Emotions ».

Pour résumer l'esprit dans lequel s'inscrit ce changement, un seul mot suffirait : « plus ». Plus de modernisme dans les couvertures, de dynamisme dans les textes, plus de variété dans les histoires, de richesse dans la psychologie des personnages, plus de sensations garanties au cœur de chaque page…

C'est la promesse contenue dans les quatre livres que je vous propose pour ce lancement. Aussi, ne résistez pas, vibrez à l'unisson avec les héroïnes, riez, pleurez, aimez sans modération ! Car « l'émotion est au cœur de la vie ».

Bonne lecture,

La responsable de collection

L'enfant du destin

MARISA CARROLL

L'enfant du destin

ÉMOTIONS

*editions*Harlequin

Cet ouvrage a été publié en langue anglaise
sous le titre :
LITTLE GIRL LOST

HARLEQUIN®

est une marque déposée du Groupe Harlequin
et Émotions® est une marque déposée d'Harlequin S.A.

Photos de couverture
Enfant : © TAMARA REYNOLDS / GETTY IMAGES
Femme : © STEVE PREZANT / CORBIS

Toute représentation ou reproduction, par quelque procédé que ce soit, constituerait une contrefaçon sanctionnée par les articles 425 et suivants du Code pénal.
© 2003, Carol I. Wagner and Marian L. Franz.
© 2004, Traduction française : Harlequin S.A.
83-85, boulevard Vincent-Auriol, 75013 PARIS — Tél. : 01 42 16 63 63
Service Lectrices — Tél. : 01 45 82 47 47
ISBN 2-280-07877-5 — ISSN 1264-0409

1.

On était en novembre, mais le ciel était aussi bas qu'en plein hiver. Les ormes et les érables n'avaient plus de feuilles depuis longtemps et les troncs mouchetés des sycomores se fondaient dans le gris et le blanc des nuages menaçants. Seuls les chênes s'accrochaient à leurs feuilles déchiquetées, aussi désespérément que Faye Carson s'accrochait à son chagrin.

Un chagrin bien légitime, songeait avec mélancolie la jeune femme, tandis qu'elle cheminait le long du sentier qui menait à un petit parc, contigu à sa propriété.

— Quand on a perdu son mari il y a tout juste six mois, on ne peut pas avoir le cœur à rire, n'est-ce pas ?

Elle ne parlait pas toute seule. Enfin, pas tout à fait. Elle s'adressait à sa chienne, Addy, qui gambadait à ses côtés et partageait sa vie depuis quelques mois. Elle l'avait adoptée juste après avoir emménagé dans cette vieille demeure que Mark avait héritée de ses grands-parents et dans laquelle Faye n'avait jamais mis les pieds du vivant de son mari. Addy était sa seule amie. Le chien de berger de Shetland dressa les oreilles et répondit à la question de sa maîtresse par un petit jappement compatissant.

Six mois, songea la jeune femme en séchant d'un revers de main les gouttes de pluie glacée qui lui mouillaient les joues. Cela faisait bien peu pour se consoler de la mort de son mari et de la perte douloureuse de l'enfant qu'elle portait. Clignant furieusement des paupières pour refouler ses larmes, Faye soupira, le cœur lourd. Sa détresse était si grande qu'il lui semblait parfois que la vie s'était arrêtée pour elle aussi, six mois plus tôt, sur cette route de montagne, au Mexique.

Ils étaient en vacances — les premières depuis leur mariage, et allaient assister au grand rassemblement annuel des monarques, ces papillons migrateurs que Mark admirait tant. Il était programmeur de profession, mais il vouait aux papillons une véritable passion. Ce voyage, il en rêvait depuis longtemps. Il avait suffi d'une portion de route en mauvais état et de l'éclatement d'un pneu pour que leur jeep de location quitte la chaussée.

Inexplicablement, Faye en était sortie indemne, tandis que Mark mourait dans ses bras… et le bébé dans son ventre. Pour panser une telle blessure, il lui faudrait bien plus de six mois. La vie entière n'y suffirait peut-être pas.

Elle déboucha juste derrière l'abri de pierre qui, avec deux vieux cabanons et un portique rouillé, constituaient les seuls aménagements du parc. Un coupé sport bleu clair était garé en contrebas, au bord du petit plan d'eau que la municipalité avait pompeusement baptisé Sylvan Lake, mais qui restait pour les habitants de Bartonsville un simple étang. Un couple d'amoureux, tendrement enlacés, était assis à l'une des tables de pique-nique qui se trouvait sous l'abri. Ils n'avaient pas vu Faye, en partie dissimulée par les branches d'un grand pin.

Elle ne s'attendait pas à rencontrer qui que ce fût dans le parc un jour de pluie, et certainement pas de jeunes tourtereaux. Machinalement, elle recula d'un pas. En rebroussant chemin tout de suite, elle avait une petite chance d'arriver chez elle avant que le grésil, qui tombait de plus en plus dru, ne transforme le chemin en patinoire. Addy gronda sourdement.

— Chut ! murmura Faye en caressant l'encolure de la chienne pour l'empêcher d'aboyer.

Les jeunes gens, qui n'avaient d'yeux que l'un pour l'autre, ne les avaient pas vues. Comme elle tournait les talons, Faye se figea, intriguée par la conversation qu'elle venait de surprendre sans le vouloir.

— Nous ne pouvons pas rester ici, Beth. Il doit bien y avoir une ville, dans le coin. Avec un peu de chance, nous trouverons un hôpital.

— Si nous allons à l'hôpital, ils préviendront nos parents !

La jeune fille se mit à gémir. Elle avait l'air de souffrir, et d'avoir peur aussi. D'instinct, Faye comprit qu'il se passait quelque chose de grave. Addy tirait sur la laisse qu'elle lui avait passée autour du cou et gémissait de concert.

Soudain, le jeune garçon tourna la tête dans leur direction.

— Aidez-nous, je vous en prie ! supplia-t-il d'une voix mal assurée.

Il était blond et solidement bâti, mais il n'avait sans doute pas plus de dix-sept ou dix-huit ans. Il semblait terrifié.

— Ma petite amie est sur le point d'accoucher. Et je ne sais pas quoi faire.

Faye crut tout d'abord qu'elle avait mal entendu. Du moins essaya-t-elle de s'en persuader.

— Je vous en prie, répéta le jeune garçon d'un ton plus pressant. Elle va accoucher. Je ne sais pas quoi faire.

Le doute n'était plus permis. Le premier réflexe de Faye fut de secouer la tête.

— Moi non plus, dit-elle dans un murmure tandis qu'une soudaine faiblesse lui coupait les jambes.

Faye était infirmière. Une fois, elle avait même pratiqué un accouchement sans l'aide de personne. Cela remontait à cinq ans. C'était au temps où elle travaillait aux urgences de l'hôpital tandis que Mark terminait ses études. Elle était jeune, à l'époque, et ne reculait devant aucun défi. Ce n'était plus le cas aujourd'hui. Après l'accident et sa fausse couche, elle n'avait jamais remis les pieds à l'hôpital.

La jeune fille changea de position, ce qui permit à Faye de mieux la voir. Le visage crispé de douleur, l'adolescente se tenait le ventre à deux mains. Elle ne portait pas de manteau, juste un sweat-shirt vert pâle dans lequel elle grelottait.

— J'ai mal… tellement mal, gémit-elle en croisant les bras sur son ventre proéminent. Je ne pourrai jamais marcher.

Faye hésita. La solidarité féminine et le sens du devoir finirent par avoir raison de ses appréhensions. N'écoutant que son cœur, elle s'approcha du couple et s'empressa d'attacher Addy à l'entrée de l'abri tout en lui recommandant de se tenir tranquille. La chienne se coucha docilement sur la dalle de pierre mais sentant la nervosité de sa maîtresse, elle se mit à gémir de plus belle.

Les jeunes gens étaient aussi pâles l'un que l'autre.

— Il faut l'emmener à l'hôpital.

Faye retira son trench-coat et le drapa autour des frêles épaules de l'adolescente, qui claquait des dents.

— J'ai mal ! J'ai mal ! psalmodia-t-elle sans reprendre son souffle.

La douleur et la peur lui arrachèrent un cri déchirant, qui déclencha chez Faye un signal d'alarme. La jeune fille allait bel et bien accoucher. Aujourd'hui même. Précisément le jour où son enfant à elle aurait dû naître.

— Le bébé est sur le point de naître. Vous ne pouvez pas accoucher ici, en pleine nature. Je vais vous expliquer où se trouve l'hôpital de Bartonsville. On va s'occuper de vous et prévenir votre famille…

Les cheveux blonds et fins comme de la soie de la jeune fille volèrent en tous sens lorsqu'elle releva brusquement la tête.

— Je n'ai pas de famille ! répliqua-t-elle âprement. Juste un frère, qui vit au Texas.

— Et vous ?

— Euh… moi non plus, bredouilla son compagnon.

Il mentait, cela se voyait comme le nez au milieu de la figure. Faye allait insister mais une nouvelle contraction tétanisa la jeune fille. Moins de deux minutes s'étaient écoulées depuis la précédente. Il fallait faire vite. Très vite.

— Je m'appelle Faye Carson. J'habite un peu plus bas. Et vous, qui êtes-vous ?

— Je m'appelle Beth.

— Et moi, Jamie.

Elle allait devoir se contenter de leurs prénoms. Mais pour l'instant, leurs noms de famille n'avaient pas tellement d'importance.

— Vous êtes le père de l'enfant ? demanda-t-elle au garçon.

Il hocha la tête et déglutit avec difficulté.

— Est-ce que Beth va s'en sortir ?

— Il faut qu'elle aille à l'hôpital. Vous en êtes conscient, n'est-ce pas ?

— Nous… nous cherchions un hôpital. Nous nous sommes perdus. Je… je n'ai pas l'habitude de conduire sur ces petites routes tortueuses.

— L'hôpital est tout près. Je vais vous indiquer le chemin. Mais il faut partir tout de suite. Je crois que le bébé ne va pas tarder à montrer le bout de son nez.

— Vous en êtes sûre ? Comment le savez-vous ? demanda Beth d'une voix haletante en s'accrochant au bras de Jamie, debout à côté d'elle.

— Je suis infirmière. Je sais de quoi je parle, croyez-moi.

— Pour un premier, c'est toujours très long, il paraît. Et puis, ça a commencé il y a à peine une heure.

— Avez-vous perdu les eaux ?

Beth eut l'air de ne pas comprendre, tout d'abord, puis elle hocha la tête.

— Oui, dit-elle en sanglotant. Au début, je me suis demandé ce que c'était. En classe, un jour, on en avait parlé et ça m'est revenu. Ça s'est passé ce matin. Après, les douleurs ont commencé. J'ai de plus en plus mal. Tout ce que je demande, c'est que ça s'arrête, qu'on sorte vite cette chose qui me déchire les entrailles.

Agrippée au bord de la table, terrassée par la contraction qui la pliait en deux, elle poussa un long cri aigu, une plainte déchirante qui s'acheva par un sanglot libérateur.

— Ne poussez surtout pas, lança Faye machinalement. Essayez de respirer comme moi.

Elle arrondit les lèvres et montra à la jeune fille comment inspirer et expirer pendant les contractions.

Beth s'efforça de l'imiter, mais elle était trop tendue et trop focalisée sur sa douleur pour tirer le moindre bénéfice de l'exercice. Une plainte rauque jaillit du fond de ses entrailles et elle s'effondra sur la table.

L'expression du garçon vira à la terreur.

— Je vous en prie... Il faut faire quelque chose, dit-il, au bord de l'hystérie. Le médecin, à la clinique de... là où nous habitons... a parlé de trois semaines. Est-ce qu'il a pu se tromper ?

— Avez-vous été suivie régulièrement ? demanda Faye à l'adolescente.

— J'y suis allée... deux fois. J'ai passé un examen pour vérifier que le bébé se développait normalement.

— Une échographie, je suppose.

— Oui, ça doit être ça. On m'a dit que c'était une fille. Le problème, c'est que le médecin voulait...

Beth s'interrompit brusquement. Faye devina que la clinique avait dû chercher à joindre sa famille. Elle était si jeune... Sa grossesse avait pu passer inaperçue, surtout si elle portait des vêtements amples, comme ce sweater dont elle était obligée de retourner le bas des manches.

— Si nous allons à l'hôpital, ils vont me prendre mon bébé.

La peur alluma de minuscules chandelles dans les yeux bleu azur de la jeune fille.

— Non, dit Faye d'une voix ferme. N'ayez crainte, cela n'arrivera pas. Sauf si vous décidez d'abandonner l'enfant à la naissance.

— Il n'est pas question que je l'abandonne !

Une nouvelle contraction s'annonçant, Beth se mordit la lèvre inférieure.

— Voyons, Beth, tu sais très bien que nous ne pouvons pas le garder ! protesta Jamie en fronçant les sourcils. Nous en avons discuté mille fois. Nous n'avons ni argent ni travail ni maison. Comment pourrions-nous, dans ces conditions, élever cet enfant ?

— Je connais des filles de mon âge qui élèvent seules leur enfant. Pourquoi ne serais-je pas capable d'en faire autant ? Rien ne t'oblige à m'épouser, Jamie. Je te l'ai déjà dit. D'ailleurs, tes parents ne seraient pas d'accord.

— Le problème n'est pas là. Je me demande juste… ce que nous allons devenir avec une bouche de plus à nourrir et…

Les cris de sa compagne l'interrompirent. Blanc comme un linge, il se tourna vers Faye.

— Faites quelque chose ! supplia-t-il.

— Avez-vous un téléphone portable ?

Jamie détourna les yeux, visiblement mal à l'aise.

— Nous l'avons perdu.

Ma petite Faye, tu ne t'en tireras pas aussi facilement ! songea la jeune femme en soupirant. Résignée, elle jeta un coup d'œil au coupé, garé près du plan d'eau. Ils y seraient plus au chaud, certes, mais la marge de manœuvre risquait d'être trop étroite dans un espace aussi réduit. Pas la peine de compliquer encore les choses… Beth gémit de nouveau en s'accrochant à son compagnon, presque aussi livide qu'elle.

— Ne poussez pas, recommanda-t-elle.

Le travail semblait très avancé. Même en laissant Addy ici et en s'entassant tous les trois dans la voiture, ils n'arriveraient probablement pas à temps à l'hôpital.

— Nous allons devoir faire naître ce bébé ici, annonça-t-elle d'un ton faussement calme.

— D'accord, répondit vivement Beth en grimaçant de douleur.

Faye caressa du bout des doigts la joue glacée de la jeune fille. Ne pouvant s'empêcher de penser à la tragédie qui l'avait frappée, elle s'imaginait à la place de Beth, souffrant comme une damnée pour mettre au monde le bébé qu'elle avait tellement désiré.

Sa gorge se serra, et elle dut faire un effort sur elle-même pour se ressaisir.

14

— Tout va bien se passer, dit-elle d'une voix qu'elle voulait rassurante. Je vais m'occuper de tout, et Jamie est là pour me donner un coup de main.

— M... moi, bredouilla le jeune garçon. Que... que dois-je faire ?

— Avez-vous des couvertures ? Des serviettes ?

— Nous avons des sacs de couchage. Et un ou deux sweaters propres, si vous voulez.

— Parfait. Nous envelopperons le bébé dedans. Pourriez-vous me trouver une paire de ciseaux ?

Lorsqu'il en devina l'usage, Jamie ouvrit de grands yeux épouvantés.

— Je n'ai pas de ciseaux, répondit-il d'une voix blanche.

— Même pas des ciseaux à ongles ? Un canif, alors ?

Faye avait le plus grand mal à garder son sang-froid, mais il n'aurait plus manqué qu'elle se laisse, elle aussi, gagner par la panique.

— J'ai un canif, déclara Jamie en fouillant dans sa poche. Il coupe bien.

— Tant mieux.

Par chance, Faye avait des allumettes sur elle, car dans la matinée, elle avait fait brûler un tas d'ordures. Elle pourrait donc passer la lame du couteau à la flamme avant de couper le cordon ombilical. Mais il lui fallait quelque chose pour nettoyer le nez et la bouche du bébé, et de quoi pincer le cordon.

— Il me faudrait aussi des Coton-Tige. Et du fil dentaire.

— Il y en a dans ma trousse de toilette, dit Beth. Le bébé ne risque-t-il pas de prendre froid ? On est en plein courant d'air.

Elle grelottait, mais la température extérieure n'était pas seule en cause. Ses jambes tremblaient de plus en plus fort : de toute évidence, elle n'allait pas tarder à accoucher.

— N'ayez crainte, tout va bien se passer, assura Faye qui ne demandait qu'à dire vrai. Donnez-moi le canif, ordonna-t-elle à Jamie et allez chercher le reste pendant que je m'occupe de Beth.

Jamie ne se le fit pas dire deux fois. Faye s'approcha de la table sur laquelle s'était allongée la jeune fille. Sa couche était peu confortable, mais elle valait tout de même mieux que le sol de pierre. Beth portait un caleçon en coton qu'avec un peu de chance, Faye n'aurait pas trop de mal à couper au niveau de l'entrejambe. Cela lui éviterait de déchausser et de déshabiller la jeune fille.

Pleine de bonne volonté, Beth se souleva pour faciliter l'opération. Le canif était effectivement bien aiguisé. En un rien de temps, le tour fut joué. La tête du bébé n'était pas encore en vue, mais elle apparaîtrait sans doute à la prochaine contraction. Par peur des infections, Faye ne se risqua pas à examiner la jeune fille plus avant. Dès que Jamie serait de retour, elle irait se passer les mains sous l'eau glacée de la vieille pompe. Ce serait mieux que rien.

— Essayez de vous détendre, dit-elle à Beth.

A demi-assise, la jeune fille reposait presque entièrement sur son bras, mais elle ne pesait pas bien lourd.

— Etes-vous vraiment infirmière ? s'enquit-elle.

— Mais oui.

— Et vous avez déjà pratiqué des accouchements ?

— Bien sûr, répondit Faye qui se garda bien de préciser qu'il y avait de cela de nombreuses années.

— Vous portez une alliance. Avez-vous des enfants ?

— Non. En fait, je suis veuve.

— Je suis désolée, dit poliment Beth.

La jeune fille se raidit. Ramassée sur elle-même, elle s'étreignit la taille de ses deux bras repliés tandis qu'un hurlement lui échappait.

— Jamie ! appela Faye. Dépêchez-vous !

Sa voix couvrit à peine le martèlement de la grêle sur le toit de tôle de l'abri. De minuscules glaçons commençaient à se former le long de l'avant-toit, et les aiguilles des sapins carillonnaient à chaque bourrasque de vent. Couchée en boule, la tête sur ses pattes, Addy attendait sagement la suite des événements.

Laissant tourner le moteur de la voiture, Jamie remonta le plus vite possible jusqu'à l'abri. L'herbe gelée craquait sous ses pas. Il avait les bras chargés et du mal à ne pas glisser.

— Vous avez bien fait de démarrer la voiture, déclara Faye tandis qu'il déposait sur l'un des bancs les sacs de couchage, deux sweat-shirts et le petit vanity-case rose fluo de Beth.

La tête du bébé était à présent parfaitement visible. Ils s'empressèrent de glisser l'un des sacs de couchage sous la jeune fille et de l'envelopper tant bien que mal avec le second. Murmurant des paroles d'encouragement, Faye se voulait rassurante, mais en réalité, elle n'en menait pas large.

Tétanisée par une nouvelle contraction, Beth laissa échapper un cri terrifiant, animal, tragique. Elle n'était plus que douleur et souffrance. Chacun de ses traits crispés traduisaient un épouvantable calvaire. Elle bloqua sa respiration et poussa lorsque Faye le lui indiqua, libérant enfin la tête du bébé. Faye fut la seule à le voir naître car Beth gardait obstinément les yeux fixés sur les papillons brodés sur son pull et Jamie, par crainte ou par pudeur, évitait soigneusement de regarder entre les jambes de sa compagne.

Lorsqu'elle saisit la tête du bébé entre ses mains pour l'aider à franchir les derniers obstacles, Faye sentit de nouveau son cœur saigner. *Pourquoi, mon Dieu, pourquoi m'avoir imposé une telle épreuve ?*

— Très bien, dit-elle cependant d'un ton enjoué. Vous êtes très courageuse. Reposez-vous un instant en attendant la prochaine contraction.

Est-ce bientôt fini ? J'ai trop mal ; je n'en peux plus ! se lamenta la jeune fille, pantelante.

Epuisée, au bord de l'évanouissement, Beth avait de plus en plus de mal à coordonner ses mouvements.

—Encore un petit effort ! Maintenant que la tête est passée, le reste va suivre. Vous êtes bientôt au bout de vos peines. Poussez lentement et régulièrement, cela vous évitera une déchirure. Allez, on y va, Beth.

—Je vous en supplie...

La fin de sa phrase se perdit dans un long gémissement tandis que d'une main experte, Faye dégageait les épaules du bébé et le tirait doucement à elle.

— C'est une fille, déclara-t-elle d'une voix un peu enrouée.

Mark souhaitait que leur premier enfant soit une fille.

— Elle ne respire pas, murmura Jamie.

A ces mots, Beth se redressa brusquement.

— C'est vrai qu'elle ne respire pas. Elle est toute bleue. Qu'est-ce qu'elle a ?

— Ne vous inquiétez pas. Elle a un peu froid, c'est tout.

Faye pria secrètement pour que ce ne soit que cela. Elle essuya le visage et la tête de l'enfant avec l'un des sweaters, puis elle l'enveloppa dans l'autre en veillant à ne pas emmêler le cordon ombilical. A l'aide des Coton-Tige, elle désobstrua du mieux qu'elle le put les narines et la bouche du nouveau-né. Ce n'était pas parfait, loin de là, mais il fallait faire avec. Elle tapota ensuite du bout du doigt les plantes de pieds du bébé. Qui resta tout d'abord sans réaction. A la deuxième tentative, la petite fille ouvrit les yeux, cligna des paupières et poussa un cri tandis que l'air pénétrait dans ses poumons. C'était un vagissement faible, presque inaudible, mais jamais Faye n'en avait entendu de plus beau.

— Regardez, elle commence à rosir, fit remarquer Beth en pleurant de soulagement. Est-ce que je peux la prendre ?

— Bien sûr.

Faye mit le bébé dans les bras de sa maman et rabattit sur eux les bords du sac de couchage.

— Elle est vraiment minuscule, murmura Jamie qui avait le plus grand mal à cacher son émotion.

— Elle est adorable, déclara Beth, en souriant à travers ses larmes. Vraiment adorable.

Faye tendit les allumettes à Jamie, qui semblait incapable de détourner les yeux du bébé.

—Il faut stériliser la lame du canif, expliqua-t-elle. La délivrance ne va pas tarder, aussi devons-nous couper et nouer le cordon ombilical. Voulez-vous vous en charger ?

Il secoua la tête et se rembrunit.

—Non, je préfère vous laisser faire.

Faye n'insista pas. De nouveau prise de contractions, Beth haletait.

— Ce sera moins douloureux, cette fois, promit Faye. Et beaucoup moins long. Il s'agit d'évacuer le placenta.

Beth acquiesça d'un signe de tête et sourit à l'enfant qu'elle serrait tendrement contre elle.

—Ça ira, assura-t-elle. Maintenant qu'elle est là, je suis prête à tout supporter. Oh, Jamie, murmura-t-elle en levant vers son compagnon ses yeux bleu azur, tu as vu comme elle est belle ?

Jamie faisait une drôle de tête. Il avait l'air accablé, comme si le monde entier reposait sur ses épaules.

— Elle est si petite. Comment prendrons-nous soin d'elle ?

— Nous nous débrouillerons, affirma Beth.

Jamie ne répondit pas.

La délivrance se produisit quelques instants plus tard. Grâce à Dieu, le placenta sortit en un seul morceau et il n'y eut pas d'hémorragie. Faye récita *in petto* une action de grâces. Avec un peu de chance, ses trois protégés seraient dans moins d'une demi-heure entre les mains du personnel soignant de l'hôpital de Bartonsville.

Elle empaqueta le placenta dans le plus usagé des sweaters que Jamie avait sortis de la voiture.

— Il faut apporter le placenta à l'hôpital pour qu'un médecin vérifie qu'il est bien entier. De toute façon, la mère et l'enfant ont tous deux besoin de recevoir des soins. Vous en êtes conscients, tout de même ? Le bébé est tout petit, murmura-t-elle à l'adresse de Jamie. Il va bien pour l'instant, mais il risque d'avoir des problèmes respiratoires ou des difficultés à réguler sa température. C'est souvent le cas, chez les nouveau-nés. Mieux vaut pouvoir parer à toute éventualité.

— Des problèmes respiratoires ? Vous voulez dire que la petite risque de manquer d'oxygène ?

— Mais non ! intervint Beth. Elle n'a aucun problème. Nous n'avons pas besoin d'aller à l'hôpital.

— N'empêche que nous n'avons ni biberons, ni lait, ni couches, ni rien du tout.

— Nous en achèterons. Et puis, je peux l'allaiter, reprit Beth.

— Et si tu n'as pas de lait ? Qu'est-ce qu'on fera si elle a faim ? Ou si elle a un des problèmes dont Mme Carson vient de parler ? Nous serons dans de beaux draps.

— Nous apprendrons.

— Je n'ai jamais pris de bébé dans mes bras. Elle est si petite.

Jamie semblait complètement désemparé.

— Et puis, je te rappelle, ajouta-t-il d'un ton lugubre, que nous n'avons plus que soixante dollars en poche.

— C'est mieux que rien, dit Beth, les yeux rivés sur sa fille.

— Ça paiera juste l'essence. Et encore ! Je ne vois pas comment nous pourrions acheter le lait, les couches et tout le reste. Tu sais bien que je ne peux pas utiliser ma carte de crédit...

Il se mordit la lèvre, conscient d'en avoir trop dit, et jeta à Faye un regard de bête aux abois. Les responsabilités qui lui incombaient désormais lui faisaient oublier la joie ressentie à la naissance de l'enfant.

— Ce serait peut-être mieux de...

— Non, pas question ! coupa Beth d'un ton péremptoire.

Faye intervint.

— Nous tâcherons de trouver des solutions une fois que Beth et le bébé seront en bonnes mains à l'hôpital.

Le temps s'était encore dégradé pendant que Faye s'occupait de Beth, et le givre recouvrait à présent tout ce qui les entourait. Regagner la maison à pied s'annonçait comme un exercice quelque peu périlleux, mais Addy et elle ne pouvaient espérer se caser dans le coupé.

Beth leva les yeux de l'enfant qu'elle venait de mettre au monde et regarda la voiture, garée un peu plus bas.

— Je ne suis pas sûre de pouvoir la porter jusque-là-bas, confia-t-elle. J'ai les jambes en coton.

— Tu n'as qu'à la donner à Mme Carson. Je vais te porter jusqu'à la voiture.

— Allez-y doucement, Jamie, recommanda Faye. Ce n'est pas le moment de glisser.

— Ne vous en faites pas, je ferai attention.

Il était blanc comme un linge et fuyait obstinément le regard de Faye.

Maintenant que la mère et l'enfant étaient tirés d'affaire, elle pouvait se permettre de poser des questions. De leur demander d'où ils venaient. Et où ils allaient. Le bébé vagit de nouveau, mais le cri qu'il poussa semblait avoir perdu de la vigueur. Ils auraient tout le temps de s'expliquer plus tard, songea Faye en refrénant sa curiosité. Il fallait avant tout emmener Beth et sa fille à l'hôpital. La maternité n'était pas grande mais elle bénéficiait des équipements les plus performants.

Caressant la joue du bébé, elle remarqua que ses ongles étaient maculés de sang séché et ne put s'empêcher de repenser à l'accident, et à la fausse couche qui s'en était suivie.

— Il faut y aller, dit-elle.

Une ombre passa dans les yeux bleus de la jeune maman.

— Est-ce qu'il ne serait pas possible d'aller chez vous ? Juste pour quelques heures ?

Faye secoua la tête. Elle ne se sentait pas capable d'héberger un bébé. Pas le jour où le sien aurait dû naître. C'était au-dessus de ses forces.

— Si nous ne partons pas tout de suite, nous risquons de rester bloqués ici un bon moment, dit-elle en montrant le ciel encombré de gros cumulonimbus et le sol verglacé.

22

Je vous rejoindrai à l'hôpital dès que j'aurai récupéré ma voiture. Mais pour ça, il faut que je rentre chez moi.

— Alors allons-y, dit Jamie en tendant la main à Beth. Faye va prendre le bébé, et moi je vais te porter.

Beth n'avait pas l'air convaincu mais elle ne protesta pas et tendit le petit paquet à Faye avec mille précautions, comme s'il s'était agi de la plus précieuse des offrandes.

La gorge serrée, Faye lutta pour retenir ses larmes. Quel bonheur de sentir contre sa poitrine le petit corps fragile du bébé ! Un doigt minuscule se faufila entre les plis du sweater et agrippa avec une force surprenante le majeur de Faye. Cette petite fille était une battante ; elle était beaucoup plus robuste qu'elle n'en avait l'air. Cherchant à téter, elle se blottissait contre ses seins, réchauffant son cœur et son ventre, apaisant un peu la douleur qui était enfouie au plus profond d'elle-même.

Jamie souleva Beth dans ses bras, emportant du même coup les sacs de couchage qui l'enveloppaient. D'un pas rapide, il se dirigea vers la voiture.

— Je voudrais tant que tu sois ma fille, murmura Faye au nourrisson qu'elle serrait contre elle. Si tu savais comme je t'aimerais et comme je prendrais bien soin de toi…

Mais le bébé n'était pas à elle. Elle avait perdu le sien et son mari était mort dans cet horrible accident, six mois plus tôt. Elle était seule, désormais. Complètement seule.

Addy commençait à montrer des signes d'impatience, jappant et tirant frénétiquement sur sa laisse. Craignant sans doute d'être oubliée, la chienne se rappelait comme elle pouvait au bon souvenir de sa maîtresse.

— Chut, Addy ! Ne t'inquiète pas, je ne vais pas te laisser là. J'emmène le bébé jusqu'à la voiture. Puis nous couperons à travers bois pour rentrer plus vite.

Faye tourna le dos au chien indigné et quitta l'abri, prête à affronter la tourmente. Un peu plus bas, Jamie ouvrait la portière du coupé, côté conducteur. Avant de s'engouffrer dans le véhicule, il se tourna vers elle et lui cria, par-dessus le toit :

— Nous ne pouvons pas la prendre avec nous. Nous partons pour le Texas. Je sais que vous prendrez bien soin d'elle, madame Carson. Nous vous la confions. Nous reviendrons. Je...

La voix lui manqua.

— Je vous le promets.

Jusqu'à son dernier souffle, Faye se souviendrait de ce qui se passa ensuite. L'élégante voiture de sport patina un instant sur le gravier et le verglas tandis que Jamie démarrait sur les chapeaux de roues, puis elle disparut derrière les arbres, au bout de l'allée qui débouchait sur la départementale conduisant à l'autoroute. L'espace d'un instant, Faye aperçut le visage de Beth et ses mains collées à la vitre, comme si elle cherchait à s'échapper. Elle avait la bouche ouverte et semblait hurler quelque chose.

— Attendez ! cria Faye. Vous ne pouvez pas me laisser le bébé...

S'époumoner ne servait plus à rien. Ils étaient partis. Bel et bien partis.

Faye était seule sous la grêle.

Enfin, *seule*, elle ne l'était plus tout à fait.

Elle avait l'esprit vide, le sang s'était figé dans ses veines, chacun de ses membres transformé en bloc de pierre, mais peu lui importait. Car son vœu le plus cher s'était enfin réalisé : elle tenait dans ses bras l'enfant qu'elle avait tant désiré.

2.

Deux ans et demi plus tard.

Les avant-bras posés sur le volant de sa vieille Chevrolet, Hugh Damon contemplait la mosaïque de champs qui s'étendaient jusqu'aux collines alentour. Au creux de la vallée, en contrebas de la route, nichée dans un écrin d'érables et de chênes centenaires, se dressait une imposante maison de brique datant d'une autre époque.

Ferme des Papillons — Chambres d'hôtes, indiquait en lettres artistiquement calligraphiées une pancarte sur le bas-côté de la route.

Nous y voilà ! songea Hugh en soupirant. Il n'aurait jamais imaginé, lorsqu'il avait quitté Cincinnati, une heure plus tôt, que sa quête le conduirait ainsi en rase campagne.

La maison en elle-même était un pur produit de l'architecture victorienne fin de siècle dans ce qu'elle a de pire. A la vue de ces pignons tarabiscotés, de toutes ces fenêtres en saillie, et de l'incontournable belvédère, l'ingénieur qu'il était se révulsait. Mais la brique s'était patinée au fil des ans, de sorte que la demeure se fondait harmonieusement dans son environnement, et cela d'autant mieux que les boiseries, traditionnellement blanches, avaient été peintes en crème.

Avec son toit à forte pente et sa façade de bardeaux, la grange qui se trouvait derrière frappait, quant à elle, par sa modernité et sa fonctionnalité. C'était une grange à part entière, comme en témoignaient le gros tracteur vert et l'impressionnante moissonneuse-batteuse qui se profilaient entre les portes grandes ouvertes et semblaient faire la nique au modeste break garé juste à côté.

Au-delà de la grange, outre les champs de soja et de maïs, il y avait un lac avec un ponton d'où l'on pouvait pêcher, en été.

Il y avait aussi, à l'arrière de la maison, un vaste terrain clos visiblement laissé en friche. Postés sur des pieds de laiterons desséchés, des merles semblaient monter la garde. Des fleurs rouges, roses et jaunes poussaient parmi les herbes folles de cette prairie, à l'extrémité de laquelle se trouvait une espèce de serre, sans doute la fameuse réserve de papillons dont il avait eu connaissance sur Internet. C'était cette serre, ainsi que les trois charmants cottages qu'il voyait sur sa gauche, qui faisaient la renommée de la Ferme des Papillons et de ses Chambres d'hôtes.

Les papillons.

Si beaux, si délicats et tellement innocents qu'ils symbolisaient dans de nombreuses cultures les âmes des enfants disparus.

Les papillons... qui peuplaient les cauchemars de sa sœur.

S'il avait fait le voyage jusqu'ici, c'était précisément à cause des papillons.

Sa quête allait-elle enfin aboutir ? Ou devrait-il repartir bredouille, une fois de plus ?

Il le saurait bientôt. Il avait réservé le plus grand des bungalows et avait hâte de prendre possession des lieux.

Les fauteuils de jardin qu'il apercevait sur le devant des maisonnettes semblaient lui tendre les bras.

Coquets, avec leurs jardinières garnies de géraniums aux fenêtres, les trois cottages évoquaient ostensiblement les années 50, une époque où l'on prenait le temps de voyager et où les fast-foods et les hôtels d'étape plantés en bordure d'autoroute n'existaient pas. Restaurés avec autant de goût que le manoir et ses dépendances, les bungalows impressionnèrent favorablement Hugh. Bien sûr, songea-t-il, cela ne préjugeait en rien de la personnalité de la propriétaire. Peut-être n'était-elle, au fond, qu'une vulgaire femme d'affaires, plus préoccupée de ses intérêts financiers, que de la préservation d'un patrimoine.

Un écriteau plus petit, accroché sous le premier, indiquait que le manoir appartenait à une certaine Faye Carson, et invitait les hôtes à se présenter à la serre ou, quand ce n'était pas la saison des papillons, à la porte arrière de la maison. Mais en cette fin mai, c'était la pleine saison des papillons. D'ailleurs, un autobus scolaire jaune stationnait près de la serre et de jeunes enfants s'amusaient dans la cour. Chacun d'eux tenait à la main une baguette au bout de laquelle était fixé un grand papillon en mousse de couleur vive. Apparemment, Faye Carson organisait des visites pédagogiques et recevait les élèves des écoles environnantes.

Il tombait mal. Il tenait absolument à rencontrer en tête à tête la personne pour laquelle il avait parcouru tout ce chemin. Et s'il le fallait, il était prêt à attendre jusqu'à la nuit.

Fort de cette pensée, Hugh reprit le volant et poursuivit sa route jusqu'au cimetière, qui se trouvait au sommet de la colline surplombant la Ferme. Le marbre érodé des sépultures brillait au soleil, mais les inscriptions n'étaient plus très lisibles. Une tombe paraissait plus récente. Celle de Mark Carson, décédé près de trois ans plus tôt.

Hugh descendit de sa Chevrolet et s'approcha des tombes. Vaguement humide, l'air sentait la terre fraîchement retournée et résonnait du chant des oiseaux. Le nom de Carson figurait sur la plupart des pierres tombales, dont certaines étaient antérieures à la guerre de Sécession. Hugh avait du mal à concevoir qu'on puisse faire remonter ses origines jusqu'à une date aussi lointaine.

Il avait quitté la maison à l'âge de dix-sept ans et, depuis la mort accidentelle de leur mère cinq ans plus tôt, sa demi-sœur Beth constituait sa seule famille. Il s'était toujours reproché de ne pas être retourné au Texas, à ce moment-là, pour s'occuper de Beth, au lieu de l'envoyer à Boston, auprès d'un père qu'elle connaissait à peine. Livrée à elle-même, la jeune fille s'était retrouvée enceinte et avait fini par fuguer. L'aventure s'était terminée tragiquement par la mort de son petit ami dans un accident de voiture dont Beth avait réchappé de justesse. Mais depuis, elle était amnésique.

Et Hugh cherchait par monts et par vaux l'enfant qu'elle avait mis au monde juste avant l'accident.

Accroupi devant la tombe du dernier des Carson, Hugh lut à mi-voix :

Mark Carson

Epoux bien-aimé de Faye

Père de Caitlin

Ce que Hugh était venu tenter de découvrir, c'était non pas si le défunt était bien le père de la petite Caitlin, âgée de deux ans et demi, mais si Faye Carson était *réellement* sa mère.

La fillette n'était-elle pas plutôt l'enfant de Beth ? Le bébé disparu mystérieusement ?

28

C'est pour le vérifier qu'il était venu à la Ferme des Papillons.

Les premiers temps, elle avait évité tout contact avec la petite communauté rurale au sein de laquelle quatre générations de Carson avaient vécu, jusqu'à ce que les grands-parents de Mark émigrent à Cincinnati, après la Seconde Guerre mondiale. Mais elle se sentait à présent chez elle quand elle faisait ses courses en ville, fréquentait le club de jardinage et assistait à la messe du dimanche, sous le vitrail dédié à sa belle-famille. Il était loin le temps où elle arpentait le pays en tous sens, au gré des missions confiées à Mark par la société de logiciels qui l'employait. L'an prochain, Caitlin entrerait à l'école. Faye l'inscrirait à la maternelle deux matinées par semaine. Vive d'esprit et très dégourdie pour son âge, sa fille était un petit démon au visage d'ange. Quoique d'une nuance plus claire, ses cheveux étaient blonds, comme les siens, et elle avait les mêmes yeux mordorés qu'elle.

Sa petite merveille apparut sur le seuil de la porte du manoir.

— Coucou, maman ! appela Caitlin de sa petite voix flûtée.

— Coucou, mon chaton ! répondit Faye, la main en visière au-dessus des yeux pour se protéger de la lumière aveuglante du soleil.

A l'ouest, de gros nuages gris s'amoncelaient, annonciateurs de pluie. Les orages étaient fréquents, en cette saison, mais ils s'accompagnaient parfois de tornades, qui arrivaient sans prévenir et pouvaient causer de gros dégâts. Alertée par une certaine moiteur, dans l'air, Faye se promit, lorsqu'elle rentrerait, de jeter un coup d'œil aux prévisions météorologiques.

— Je suis réveillée, annonça la fillette inutilement.

— C'est ce que je vois.

— Elle a sacrément bien dormi, dit Peg, la sœur aînée de Faye en rattrapant de justesse Caitlin, qui allait dévaler, la tête la première, les marches du perron. Et tu sais quoi ? Elle est allée sur son pot toute seule, comme une grande.

— C'est vrai, ma chérie ?

Faye joignit les mains et prit un air incrédule.

Caitlin hocha vigoureusement la tête.

— Ben oui. Je suis grande, moi !

— Je suis très fière de toi, ma chérie, déclara Faye en ouvrant le portail de fer forgé qui séparait de la cour le jardin d'herbes aromatiques qu'elle travaillait à remettre en état et le terrain de jeux de Caitlin.

Elle prit sa fille dans ses bras et la serra très fort contre elle. Caitlin était son bien le plus précieux. Sa vie entière gravitait autour de ce trésor inestimable dont la possession était pour elle un véritable miracle.

Après un ou deux câlins, Caitlin se mit à gigoter entre ses bras.

— Un gâteau, demanda-t-elle avec autorité. Je veux un gâteau.

— J'en mangerais bien un, moi aussi. Pas toi, tante Peg ?

Peg jeta un coup d'œil à sa montre.

— Non, merci ; mon régime me l'interdit.

Peg était nettement plus grande et plus charpentée que Faye. De leur mère, elle avait pris les cheveux auburn et les yeux marron foncé. Lorsque les deux sœurs s'étaient retrouvées seules avec leur père, après le décès de leur mère alors que Faye n'avait que quinze ans, Peg avait arrêté ses études pour s'occuper de sa cadette. Honnête et travailleur, leur père était mort quelques années plus tard — de chagrin, selon Faye.

Après son divorce, Peg était venue, avec ses deux fils, rejoindre Faye dans l'Ohio, dix-huit mois plus tôt. A Noël, elle avait épousé le fermier qui cultivait les terres de Faye, et vivait heureuse, désormais, au sein d'une famille aimante et unie.

Peg était aussi la seule à savoir que Caitlin n'était pas la fille de Faye.

Elles entrèrent dans la cuisine, et Faye ouvrit la boîte dans laquelle elle mettait les gâteaux secs.

— Deux ! J'en veux deux, s'exclama Caitlin.

— Ce n'est pas une petite fille, mais une machine à engloutir les gâteaux ! se lamenta Faye en tendant à l'enfant les biscuits demandés.

— Tu plaisantes ! Comparée à Jack et à Guy au même âge, Caitlin est un ange, affirma Peg en roulant des yeux effarés.

Elle n'exagérait pas. Agés de sept et neuf ans, ses fils étaient effectivement de sacrés garnements.

Peg regarda de nouveau sa montre.

— Il faut que j'y aille, maintenant. Steve est en train de couper de la luzerne chez son oncle. Si je ne suis pas de retour avant que les garçons rentrent de l'école, ils risquent de mettre la cuisine à sac.

— Je te remercie infiniment d'avoir gardé Caitlin.

— Il n'y a pas de quoi. Quand il s'agit de garder mon adorable nièce, je suis toujours partante.

Ni par la parole ni par les actes, jamais Peg n'avait commis le moindre impair à propos de Caitlin. Elle la considérait comme sa nièce, même si elle n'approuvait pas totalement la manière dont Faye se l'était appropriée.

— Qu'as-tu de prévu pour la fin de l'après-midi ? demanda-t-elle.

— Nous allons commencer par ramasser les mangeoires des papillons pour les nettoyer et les remplir. Puis nous irons vérifier que le plus grand des cottages est prêt pour l'arrivée d'un nouvel hôte, attendu dans la soirée.

Peg eut un bref haussement de sourcils.

— Un homme *seul* ?

— Aucune idée. Mais pourquoi cette question ?

La réponse, Faye la devinait sans peine. Elle savait que Peg se faisait du souci pour elle.

— Simple curiosité. Tu es tellement isolée, ici.

— Mais non, je ne suis pas isolée ! Je crois que tu regardes un peu trop la télé, Peg. Je ne crains rien, rassure-toi. En tout cas, pas plus que toi qui habites juste un peu plus bas.

— La différence, c'est que moi, j'ai un mari ! Toi, tu es seule.

— Seule, oui, mais pas solitaire, affirma Faye non sans un brin de mauvaise foi.

Elle aimait Mark et ne lui cachait jamais rien. Ils partageaient tout. La confiance constituait pour elle la base d'une relation de couple. Or jamais plus elle ne pourrait tout dire à un homme. Elle avait un secret. Lorsque Peg s'était remariée, Faye s'en était voulu de l'avoir mise dans la confidence. Car à cause d'elle, Peg ne pourrait jamais se confier totalement à son mari.

— O.K., je n'insiste pas. Mais ce que j'en dis, moi, c'est pour ton bien.

Faye soupira et se força à sourire.

— N'oublie pas que j'ai un chien de garde. Si mon hôte fait un pas de travers, Addy se chargera de le remettre dans le droit chemin. N'est-ce pas, Addy ?

En entendant son nom, la chienne dressa les oreilles et agita la queue. Elle boudait, car elle n'appréciait pas beaucoup d'être confinée à l'intérieur de la maison quand des enfants venaient visiter la serre.

— Tu parles d'un chien de garde ! Elle laisserait entrer le diable lui-même dès lors qu'il lui caresserait la tête en l'appelant gentille fi-fille. Bon, cette fois, je m'en vais. Il faut que je m'arrête à la supérette pour faire le plein de lait et de pain. Si tu as quelque chose à déposer en ville, profites-en.

Non, rien pour l'instant, je te remercie.

— Au revoir, tatie, bafouilla Caitlin, la bouche pleine.

— Au revoir, ma puce. A vendredi.

Caitlin se précipita à la fenêtre du coin-repas pour regarder Peg s'en aller, au volant de son estafette.

— Je veux un dessin animé, réclama-t-elle dès que les pétarades du moteur se furent éloignées.

— Tu n'aimerais pas plutôt aller voir les papillons ?

Caitlin accueillit la suggestion avec un tel enthousiasme que l'une de ses barrettes se détacha. Ces barrettes en forme de papillon, proposées dans toutes les couleurs de la création, étaient sans doute ce que Faye vendait le plus. Toutes les petites filles en raffolaient.

— Les papillons ! Les papillons ! claironna la fillette en battant des mains tandis que Faye s'efforçait de remettre en place la barrette récalcitrante.

— Allons-y vite, alors. Avant que de nouveaux visiteurs ne débarquent.

A l'entrée de la serre, Faye fit monter Caitlin dans sa poussette-canne. Les papillons étaient bien trop fragiles pour qu'elle laisse la fillette courir en tous sens.

Elles traversèrent la serre et pénétrèrent dans le sanctuaire des papillons, auquel on accédait par un sas dont les portes devaient toujours rester fermées. Machinalement, Faye jeta un coup d'œil aux chrysalides marron et grises qui, classées par espèce, pendaient le long d'une plaque de mousse fixée au mur d'une petite pièce servant d'incubateur. De ces cocons, qu'un œil non-exercé aurait pu croire desséchés et sans vie, allait surgir bientôt un nouveau lot de magnifiques papillons.

C'était sa deuxième cargaison de papillons tropicaux et ornementaux cette saison. Leur durée de vie étant relativement courte, elle était obligée de repeupler régulièrement la serre. En attendant de pouvoir élever elle-même des espèces exotiques, elle les achetait à un éleveur du New Jersey.

Caitlin gloussa de plaisir lorsque la soufflerie de la porte — conçue pour rejeter l'air à l'intérieur de manière à ne pas laisser s'échapper les papillons — souleva ses cheveux fins. La chaleur et l'humidité ambiantes les enveloppèrent. Faye mit en marche la ventilation, placée dans un coin de la structure. Un grillage très fin en protégeait l'ouverture, évitant aux papillons d'être aspirés à l'extérieur.

— Joli ! s'exclama Caitlin en montrant un immense morpho bleu qui voletait au-dessus d'elle.

Ses couleurs incroyables faisaient de ce papillon exotique le préféré des visiteurs.

— Papa adorait les morphos, lui aussi.

Si, aux yeux de tous, Faye passait pour la mère de Caitlin, Mark passait tout naturellement pour son père. Aussi Faye n'hésitait-elle pas à parler de son papa à la fillette. Elle tenait à ce que tout paraisse normal. Absolument normal.

De la salle d'incubation, on apercevait le parking, qui était vide, pour l'instant. S'il ne pleuvait pas, les visiteurs afflueraient en fin d'après-midi. Mais d'ici là, elles avaient tout leur temps.

34

Faye prit Caitlin dans ses bras et l'assit sur l'un des bancs de bois disséminés dans ce jardin tropical, recrée de toutes pièces. Depuis les pavés des allées jusqu'au laiteron africain qui favorisait la ponte et servait à nourrir les jeunes chenilles, en passant par les parterres de verveine, d'impatiens, et autres fleurs nectarifères dans des camaïeux de rose, bleu, violet et jaune tellement appréciées des papillons, les fougères et les arbustes, les plantes aromatiques et condimentaires, intéressantes pour leur parfum et leur abondante floraison : tout y était ; Faye n'avait pas ménagé ses efforts.

Steve et Peg l'avaient même aidée à installer à deux extrémités opposées de la serre de superbes rocailles et des cascades artificielles. Le ruissellement de l'eau en bruit de fond rendait l'illusion encore plus parfaite. Faye était vraiment très fière de cette serre, que Mark aurait sans aucun doute adorée. S'il avait vécu.

Mais si Mark avait vécu, Caitlin ne serait pas là.

Faye pensait désormais le moins souvent possible aux premiers mois qui avaient suivi la disparition de Mark. Elle s'efforçait d'occulter cette période d'hébétude douloureuse et de faire comme si sa vie avait commencé le jour où Caitlin était née. Cela lui posait encore quelques problèmes, mais elle ne désespérait pas d'y arriver un jour.

Le soleil disparut derrière un nuage et presque instantanément, les papillons cessèrent leur ballet aérien et se posèrent. Faye en profita pour se lever et remettre Caitlin dans sa poussette. Tant pis pour les mangeoires ! Elle s'en occuperait un peu plus tard. Avant de quitter les lieux, elle s'assura d'un coup d'œil dans le miroir en pied fixé à la porte qu'aucun papillon ne s'était inopinément posé sur ses épaules. Cela arrivait parfois, aussi valait-il mieux vérifier avant de sortir. Mais ce jour-là, aucun fugueur n'avait jeté sur elle son dévolu.

Un roulement de tonnerre résonna au loin, bien au-delà des collines. Le vent s'était levé et faisait tournoyer dangereusement les lourdes panières d'impatiens rouge et blanc et de lobélies rampantes suspendues à des crochets métalliques.

— Zut ! J'aurais dû demander à Steve de les décrocher, quand il est venu tout à l'heure, murmura Faye.

Elle réalisait le plus gros de son chiffre d'affaires avec ces suspensions en osier et n'avait aucune envie de voir l'orage les abîmer. Le problème, c'est qu'elles étaient hors de sa portée. Son beau-frère, qui mesurait plus d'un mètre quatre-vingt-dix, les avait accrochées très haut, par égard pour les crânes des visiteurs.

— Reste sagement assise dans ta poussette pendant que j'essaie de les attraper, recommanda Faye à la fillette en se maudissant de ne pas avoir pensé à emporter un ou deux biscuits.

Curieuse de tout, Caitlin avait beaucoup de mal à rester tranquille deux minutes d'affilée. Dès que Faye avait le dos tourné, elle touchait à tout et fouinait partout.

Faye alla chercher l'escabeau qu'elle utilisait pour ouvrir les vasistas du toit. Elle le plaça sous les suspensions mais s'aperçut, en montant dessus, qu'elle avait mal visé, ce qui l'obligea à se pencher pour attraper la première panière. Pour comble de malheur, la chaîne ne voulait pas se détacher du crochet.

— La barbe ! marmonna-t-elle, excédée.

Un juron sonore l'aurait soulagée davantage, mais elle avait appris à surveiller son langage en présence de la fillette, car celle-ci semblait particulièrement douée pour enregistrer et répéter les grossièretés.

La première panière enfin décrochée, Faye allait s'attaquer à la seconde lorsque Caitlin, qui s'agitait dans sa poussette, attira son attention. Elle se retourna juste au moment où une Chevrolet poussiéreuse débouchait en haut de l'allée. Etait-ce un visiteur, ou l'homme qui avait loué le cottage ? Dans un cas comme dans l'autre, elle avait intérêt à descendre de son escabeau en vitesse. Mais avec une panière de près de dix kilos au bout de chaque bras, c'était plus facile à dire qu'à faire.

— Caitlin, ma chérie, lança-t-elle par-dessus son épaule. Je te demande encore une minute de patience. J'ai presque fini.

Un léger frémissement et une voix suraiguë, juste en dessous d'elle, couplés à un sixième sens infaillible, l'avertirent de l'imminence d'une catastrophe.

— Je vais t'aider, entendit-elle, tandis qu'une petite main tirait sur la jambe de son pantalon.

La fillette s'était faufilée hors de sa poussette et avait commencé à grimper à l'escabeau. Perchée sur le quatrième barreau, elle bloquait le passage à Faye.

— Je veux descendre ! pleurnicha soudain Caitlin en se cramponnant au barreau.

Il n'y avait pas trente-six solutions. En attrapant les suspensions par l'extrémité de leurs chaînes, Faye n'aurait plus qu'à les faire glisser le long de l'escabeau. Vue la longueur des chaînes, elle serait obligée de les lâcher à un mètre environ du sol. Après quoi, elle pourrait opérer un demi-tour sur elle-même et prendre Caitlin dans ses bras. Mais comme elle s'apprêtait à mettre son plan à exécution, l'un des pieds de l'escabeau s'enfonça brusquement dans la terre meuble. Déséquilibrée, Faye retint un cri de terreur.

— Attendez, je vais les attraper ! proposa obligeamment une voix masculine.

Faye tourna la tête du côté d'où lui semblait provenir cette aide providentielle. Le conducteur de la Chevrolet se tenait dans l'entrée de la serre. Dominée par de larges épaules, sa haute silhouette paraissait transfigurer l'espace.

— Non, ce n'est pas la peine.

Faye déglutit avec force, sans parvenir toutefois à se débarrasser de la boule coincée dans sa gorge. En dessous d'elle, Caitlin chancelait et risquait à tout moment de lâcher prise.

— Ce ne sont pas ces maudites suspensions qui m'inquiètent le plus, confia-t-elle avec un regard appuyé vers la petite tête blonde, juste sous ses pieds.

Bon gré, mal gré, il fallait qu'elle se déleste au plus vite de ces corbeilles car dès qu'elle bougeait un orteil, l'escabeau s'enfonçait un peu plus dans le sol. Il n'allait pas tarder à basculer en les entraînant toutes les deux dans sa chute.

Ne comprenant visiblement pas à quoi elle faisait allusion, l'inconnu s'approcha. Lorsqu'il découvrit Caitlin, cramponnée à l'ourlet du jean de Faye, il ouvrit de grands yeux étonnés.

— Je me demandais ce que vous attendiez pour descendre, dit-il à Faye d'une voix un peu rude, adoucie par un léger accent du Sud. Viens ici, ma jolie. Il faut descendre de là.

Contre toute attente, Caitlin tendit les bras à l'étranger, qui se fit fort de récupérer la fillette d'une main, tout en stabilisant l'escabeau de l'autre.

— Je monte haut, déclara fièrement Caitlin.

— Trop haut ! dit Faye d'un ton de reproche en commençant à descendre, mortifiée à l'idée de rater un barreau et de se retrouver les quatre fers en l'air aux pieds de l'inconnu.

L'escabeau penchait encore dangereusement, mais par miracle, Faye réussit à ne pas perdre l'équilibre, même lorsque l'homme lui prit le coude sous prétexte de l'aider.

Ce contact fit courir le long de son épine dorsale un étrange frisson. Non qu'il eût la main froide ou que son geste fût déplacé. Sa main était chaude, au contraire, et il avait lâché le coude de Faye dès qu'elle avait touché le sol. Le contact de ses doigts sur sa peau nue l'avait troublée, cependant.

— Je monte haut, hein ? dit de nouveau Caitlin. Je suis grande, moi !

— En tout cas, tu es drôlement courageuse, dit l'homme d'un ton admiratif.

Sans être beau, au sens habituel du terme, il avait un visage intéressant : des traits un peu rudes, un regard pénétrant, et un air vaguement mystérieux. Les gloussements de Caitlin amenèrent un sourire sur ses lèvres minces.

— Ben toi, t'es gentil ! décréta la fillette en nouant les bras autour de son cou, comme s'il était une vieille connaissance.

Surprise de voir sa fille, d'habitude si sauvage — surtout avec les hommes —, témoigner à un parfait étranger de telles marques d'affection, Faye posa ses panières et s'approcha de l'inconnu. Aiguisé par la facilité avec laquelle celui-ci avait apprivoisé Caitlin, son instinct de mère l'incitait à se méfier.

— Merci, dit-elle sèchement, impatiente de récupérer son bien. Je vais la reprendre, maintenant.

— Elle a eu peur, mais je crois qu'elle ne s'est fait aucun mal, dit l'homme en lui passant la fillette.

Dès qu'elle eut sa fille dans ses bras, Faye sentit refluer la bouffée de panique qui lui avait fait sortir ses griffes. Elle grimaça un sourire.

— C'est un vrai singe, quand elle s'y met. Il faut toujours qu'elle grimpe partout.

— Vous n'avez rien, j'espère ? s'enquit l'inconnu en vrillant sur elle son regard aigu.

Il avait les yeux d'un bleu profond, de la couleur d'un lac de cratère, ou d'un ciel crépusculaire.

— Je vous trouve si pâle, fit-il remarquer avec un sourire à faire damner tous les saints du paradis.

Le souffle coupé, Faye se demanda ce qui avait bien pu fausser à ce point son jugement. Car l'inconnu était, à n'en pas douter, un très bel homme. Ce qui le rendait attirant, c'était la vivacité de son regard, le magnétisme puissant qui émanait de toute sa personne et le charme de son sourire. Un sourire qui la laissa pantelante, totalement incapable d'articuler la moindre parole. Il aurait fallu être de bois pour ne pas être troublée par un tel sourire.

— Ces panières ont l'air affreusement lourdes. Vous ne vous êtes pas démis l'épaule, au moins ?

— Non, je n'ai rien, je vous assure, bredouilla Faye, qui peinait à recouvrer son sang-froid. Merci pour votre aide. Je suis Faye Carson, déclara-t-elle en lui tendant la main de manière très conventionnelle.

Il lui tendit la sienne.

— Hugh Damon. Enchanté de faire votre connaissance. J'ai réservé l'un de vos cottages pour la semaine.

— En effet. Je vous demande juste un instant, monsieur Damon. Je vais chercher la clé.

Elle lui décocha un sourire.

— Je vous remercie encore de nous avoir porté secours, à ma fille et moi. Et je vous souhaite la bienvenue à la Ferme des Papillons.

Hugh songea en les regardant qu'il avait bien failli se trahir, tout à l'heure, quand il avait vu pour la première fois la fille de sa sœur. Quel choc, il avait eu ! Car Caitlin était le portrait craché de Beth, au même âge. Elle avait le même petit minois, les mêmes cheveux blonds et soyeux. Ses yeux n'étaient pas bleus, cependant, mais de ce vert mordoré très changeant qui rendait si mystérieux le regard de sa mère adoptive. Leur ressemblance se bornait d'ailleurs à la couleur de leurs yeux. Faye Carson avait les cheveux châtains, et un visage nettement plus rond que celui de la fillette. Le reste aussi était plus rond — des rondeurs attractives, certes, mais qui contrastaient avec la silhouette fluette de l'enfant. Là encore, Caitlin tenait à l'évidence de Beth. Mais si Hugh faisait remarquer à Faye Carson que sa fille ne lui ressemblait guère, elle rétorquerait sans doute que la fillette avait tout pris de son père. Et elle se méfierait.

Aux yeux de la loi, elle était la mère de Caitlin. Il avait vu une copie de l'extrait de naissance de l'enfant. Tout semblait parfaitement en règle. Hugh était pourtant sûr de ne pas se tromper. Bien que l'accident qui avait coûté la vie à Jamie Sheldon et rendu Beth amnésique ait eu lieu dans un autre Etat, à plus de cent cinquante kilomètres de Bartonsville, Hugh était maintenant persuadé que Beth était passée par là. Et que c'était là qu'elle avait accouché. Et abandonné, pour une raison ou pour une autre, la fillette qu'elle venait de mettre au monde. Car malgré les multiples traumatismes causés par l'accident, Beth se souvenait partiellement de cette naissance. La vision du bébé qui vagissait dans la neige la hantait encore. Tout comme la hantait celle des papillons.

Un simple pressentiment avait conduit Hugh jusqu'ici. Il avait eu envie de rencontrer cette femme qui avait accouché seule un jour de tempête. Cette infirmière qui aurait très bien pu aider une adolescente en fugue à mettre au monde son bébé. Cette passionnée de papillons qui avait fait construire une serre dans sa propriété. Cette jeune veuve qui, désespérant de ne jamais avoir elle-même d'enfant, avait peut-être pris le risque insensé de s'approprier le bébé d'une autre femme.

Il ne connaissait pas tous les détails, mais rien de ce qu'il avait appris, avant de partir, ne l'incitait à croire que Faye Carson était une impitoyable voleuse d'enfants. Par loyauté envers Beth, il allait s'efforcer de découvrir la vérité, mais il devrait faire preuve d'habileté et de circonspection. Il ne tenait pas à ce que sa sœur soit poursuivie pour abandon d'enfant, ni à ce que Faye Carson soit accusée de kidnapping. Du moins, pas pour l'instant. Le terrain était miné. Un seul faux pas de sa part, et ce serait la catastrophe pour eux tous.

Faye Carson semblait sur la défensive, aussi devrait-il s'employer à gagner sa confiance. Il ne reculerait devant aucun stratagème car il était persuadé que la santé de Beth, et probablement son bonheur, dépendaient de l'authentification des faits qui hantaient sa mémoire déficiente et nourrissaient ses cauchemars.

Mais il n'était pas le seul à rechercher l'enfant disparu. Les parents de Jamie étaient tout aussi déterminés que lui à découvrir ce qu'il était advenu de la fillette. Sauf qu'eux, ils ne se contenteraient pas de connaître la vérité. Ils remueraient ciel et terre pour récupérer leur petite-fille. Riches et influents, ils n'auraient aucun mal à leur reprendre l'enfant, à Beth, à Faye Carson, et à lui. S'ils découvraient où elle se cachait.

3.

— Caitlin semble bien s'entendre avec ton locataire, fit remarquer Peg, le nez collé à la fenêtre de la cuisine.

Hugh Damon occupait le cottage depuis plusieurs jours. Le pont du dernier week-end de mai, désormais associé dans l'esprit de Faye à la mort de Mark, venait enfin de prendre fin.

— Du moment qu'il la pousse, quand elle est sur la balançoire…

Debout devant le réfrigérateur ouvert, Faye cherchait le jus de fruits pour le goûter de Caitlin, et en profitait en même temps pour se rafraîchir. Le thermomètre affichait trente-cinq degrés à l'ombre, et il n'y avait pas un souffle d'air.

Faye s'empara de la bouteille de jus de pomme, qui se cachait derrière la brique de lait et referma à regret la porte du réfrigérateur. Puis elle alla se poster près de sa sœur. Elle se refusait à prêter la moindre attention à la réaction troublante qu'avait suscitée en elle Hugh Damon, lors de son arrivée à la Ferme, mais elle n'en éprouvait pas moins un certain malaise dès qu'il s'agissait de parler de lui.

Elle l'observa, tandis qu'il poussait doucement Caitlin, assise sur la balançoire, sous l'œil somnolent d'Addy, couchée à l'ombre de la table de jardin. Les muscles puissants de son dos et de ses épaules jouaient sous l'étoffe légère de sa chemise. Une mèche de cheveux châtains, apparemment fort drus, retombait lourdement sur son front. Il ne portait pas de bijoux, en dehors d'une banale montre-bracelet. Mais c'était un point de détail sur lequel elle préférait ne pas s'attarder. Après tout, elle se moquait bien qu'il portât ou non une alliance.

— D'habitude, elle est plutôt timide avec les étrangers, insista Peg en se remplissant un verre d'eau au robinet.

Lorsqu'elle était arrivée à Bartonsville, Peg avait créé une petite entreprise de peinture et de papiers peints qui marchait très bien. Elle rentrait juste d'un chantier et portait un jean tout éclaboussé de peinture et une vieille chemise blanche qui avait appartenu à son mari. Ses cheveux étaient emprisonnés sous une casquette de base-ball et elle empestait le solvant.

— Elle l'aime bien, admit Faye en se massant la nuque du bout des doigts.

Ce temps lourd et orageux ne lui valait rien. Chaque orage s'annonçait à elle par des douleurs cervicales et un début de sinusite.

— Ta fille est une connaisseuse, rétorqua Peg. Un adonis pareil ne passe pas inaperçu, même aux yeux d'une gamine de deux ans.

— Hé ! s'exclama Faye en riant. Tu n'es mariée que depuis cinq mois ! Tu n'es pas censée lorgner les autres hommes.

— Je suis mariée, mais pas aveugle ! Tout adorable qu'il est, Steve n'a pas exactement le physique d'un acteur de cinéma. Ce n'est pas comme ce type. Fais-lui porter un kilt en cuir, donne-lui une épée, et il dame le pion à Russell Crowe quand il veut.

— Dois-je comprendre que tu reviens sur le conseil que tu m'as donné l'autre jour de ne pas louer à des hommes seuls ?

Peg vida son verre d'un trait et le posa dans l'évier.

— Certainement pas ! Les hommes aussi séduisants que lui, dit-elle en désignant Hugh d'un coup de menton, sont toujours source d'ennuis. Je sais de quoi je parle, crois-moi ! Mon premier mariage m'a servi de leçon.

— Lui, en tout cas, est ingénieur, dit Faye d'un ton désinvolte en posant sur une assiette en carton deux barres chocolatées.

— Ingénieur ? Je reconnais que c'est une bonne situation.

Si Peg avait été une sauterelle, ses antennes se seraient mises à vibrer.

— Ingénieur en quoi ? demanda-t-elle.

— J'ai cru comprendre qu'il construisait des centres commerciaux. Il est actuellement sur le chantier de ce complexe ultramoderne auquel le journal a consacré un article, il y a quelque temps. Tu sais, ce centre avec toutes ces boutiques branchées.

Il lui avait raconté tout ça le jour où il était venu lui demander s'il pouvait garder le cottage jusqu'à la fin juin, car le projet sur lequel il travaillait allait le retenir encore plusieurs semaines dans le coin.

— Est-ce qu'il t'a déjà invitée à aller prendre un verre ?

— Bien sûr que non ! Qu'est-ce que tu t'imagines ?

Peg lui jeta un regard incrédule, mais s'abstint de tout commentaire. Faye savait maintenant très bien mentir. Mais il s'agissait là d'un petit mensonge sans gravité qui ne prêtait pas à conséquence. Cela n'avait rien à voir avec le fait de se faire passer pour la mère d'un enfant appartenant à quelqu'un d'autre. D'ailleurs, Hugh Damon ne lui avait pas proposé de rendez-vous en tête à tête. Il les avait juste invitées à dîner, Caitlin et elle. C'était le lendemain de son arrivée. Il l'avait aidée à raccrocher les suspensions et ils avaient bavardé pendant qu'elle faisait sa caisse. C'eût été grossier de sa part de le rembarrer, alors qu'il offrait si gentiment de lui donner un coup de main.

Ce jour-là, il portait un T-shirt qui mettait en valeur la musculature flatteuse de son torse et de ses épaules, et un jean délavé tout aussi seyant.

— Y a-t-il un bon restaurant, à Bartonsville ? avait-il demandé.

— La Gerbe d'Or, avait-elle répondu sans hésitation. Il est tenu par une famille de l'ancien ordre des Mennonites, qui ne propose que des plats maison. Je suis très étonnée que vous ne soyez pas encore tombé dessus. Il suffit, quand vous êtes dans la grand-rue, de vous laisser guider par votre nez.

Assise à sa petite table, derrière le comptoir, Caitlin, qui faisait du coloriage, n'avait pas perdu une miette de la conversation. Le nom de son restaurant préféré ne lui avait pas échappé.

— Miam-miam, avait-elle fait, la mine gourmande.

— Et si nous allions y dîner tous les trois, ce soir ? avait suggéré Hugh en testant la solidité des chaînes avant d'y raccrocher les panières.

Quoique spontanée, cette invitation avait pris Faye de court, qui l'avait refusée tout net. Un silence gênant avait suivi ce non catégorique. Prise de remords, Faye s'était sentie obligée d'atténuer un peu la brutalité de son refus.

— C'est très gentil à vous, mais j'ai déjà prévu quelque chose pour le dîner.

— Alors ce sera pour une autre fois. Ils font du pain de viande, dans ce restaurant ?

— Bien sûr. C'est même une de leurs spécialités.

— Tant mieux. Il n'y a rien de meilleur qu'un bon pain de viande maison.

— Il faut aussi que vous goûtiez à leurs tartes. Celle à la noix de coco est un vrai délice.

— Moi, j'ai un faible pour la tarte à la banane, avait-il confié en souriant.

Faye avait réussi à sourire à son tour, jusqu'à ce que ses yeux soient malencontreusement attirés par les muscles puissants des cuisses de Hugh, qui bataillait pour remettre en place les suspensions. Surgie de Dieu sait où, une vision des plus troublantes s'était alors imposée à son esprit : celle de bras et de jambes entremêlés dans un corps à corps enfiévré. De surprise, elle avait failli en lâcher le paquet de facturettes qu'elle tenait à la main. L'invraisemblable fantasme n'avait duré que le temps d'un battement de cils, mais il l'avait sacrément secouée. Car les bras qui l'étreignaient n'étaient pas ceux de Mark… mais ceux de l'homme qu'elle avait sous les yeux.

Les joues en feu, elle avait bredouillé qu'elle aussi aimait beaucoup la tarte à la banane puis, évoquant quelque obligation, elle avait quitté la serre précipitamment en emportant Caitlin dans ses bras. Elle avait les jambes en coton et le souffle court, lorsqu'elle avait regagné le manoir, honteuse de ses pensées lubriques. En trois ans, c'était la première fois qu'elle se surprenait à avoir des fantasmes érotiques.

Depuis, elle en avait eu d'autres, mais elle avait appris à contrôler l'émoi que la seule vue de Hugh Damon provoquait en elle. Car s'il l'attirait indéniablement, cet homme étrange l'intriguait, également. Son instinct lui soufflait qu'il n'était pas là seulement parce qu'il préférait le cottage qu'elle lui louait à une chambre de motel. Faye sentait confusément qu'il lui cachait la véritable raison de son séjour à la Ferme.

Un roulement de tonnerre annonça l'arrivée imminente des orages prédits par la météo. Penchée au-dessus de l'évier, Peg regarda la couleur du ciel, entre les branches du grand érable.

— Ces nuages ne me disent rien qui vaille, marmonna-t-elle. Je sens que nous allons avoir un bel orage.

— Oui, j'en ai bien peur.

— Tu es sûre que tu n'as pas besoin que je te garde Caitlin, mercredi et jeudi ?

Ces jours-là, Faye travaillait à l'hôpital. C'était sa dernière semaine jusqu'à la rentrée. La serre allait l'occuper pendant tout l'été, aussi avait-elle demandé un congé jusqu'en septembre.

— Non, je te remercie. Martha va s'en occuper.

Martha Baden était la belle-mère de Peg.

— En ce cas, je la verrai. Cela m'étonnerait que Martha ne débarque pas chez moi.

— Ça m'étonnerait aussi, dit Faye en riant.

Comme elles se dirigeaient vers la porte, Peg murmura :

— Présente-le-moi, ton ingénieur.

Faye sortit dans la cour et posa sur la table de jardin l'assiette de biscuits et la tasse à bec de Caitlin. Puis elle présenta sa sœur à Hugh Damon, avant de la raccompagner jusqu'à son estafette.

— Waou ! Il est encore mieux que je ne pensais. S'il fait mine de s'intéresser à toi, ne joue pas les pimbêches. Tu vis seule depuis trois ans ; ça commence à bien faire.

— Je n'ai pas l'intention de me remarier...

— C'est ce que je disais, moi aussi… Avant de rencontrer Steve.

Sur ce, Peg tourna la clé de contact et démarra. Elle adorait avoir le dernier mot.

Faye rejoignit sa fille à petits pas. Habillée tout en rose, Caitlin, avec ses couettes blondes, était mignonne à croquer. Se moquant pas mal d'abîmer ses baskets neuves, elle laissait traîner ses pieds par terre pour arrêter la balançoire.

— Je veux boire ! dit-elle de sa petite voix perçante en bondissant vers Faye. J'ai chaud. Très, très chaud.

Faye se baissa et serra sa fille contre son cœur.

— C'est parce que tu t'es beaucoup balancée, et que tu as ri et parlé tout le temps.

— Hugh aussi, il a chaud.

Pas autant que moi ! songea Faye, qui sentait son sang bouillonner dans ses veines telle de la lave en fusion. Elle devait être rouge comme un coquelicot, mais heureusement, Caitlin, blottie contre sa poitrine, faisait écran entre elle et Hugh.

— Il veut boire, décréta la fillette.

— Je me contenterai d'une ou deux gorgées d'eau, dit-il en se dirigeant vers la vieille pompe.

Il décrocha la louche et commença à faire monter et descendre le levier qui actionnait la pompe. Le puits était aussi vieux que la maison, mais l'eau était pure et délicieusement fraîche. Faye s'était branchée sur cette source pour approvisionner en eau la serre.

Dès qu'elle vit jaillir l'eau, qui retombait dans une espèce de grande auge en pierre dans laquelle on mettait autrefois le grain destiné aux poules, Caitlin se libéra des bras de Faye et courut vers Hugh.

— Viens te tremper les pieds ! Allez, viens !

Visiblement impatiente de patauger dans l'eau, elle s'était accroupie et tirait comme une forcenée sur les lacets de ses baskets.

— Pas question, mon chaton. L'eau est glacée et de toute façon, je suis trop grand pour rentrer là-dedans.

Tandis qu'elle s'approchait de la pompe, Faye, étonnée de voir à quel point Caitlin et Hugh étaient devenus complices, ne put réprimer un soupçon de jalousie.

— Je t'interdis d'aller dans l'eau maintenant, dit-elle. Il va y avoir un orage et tu dois m'aider à rentrer les plantes et à fermer la serre.

Peg voulait lui donner un coup de main, avant de partir, mais Faye avait décliné son offre. Elle craignait de la retarder. De plus, les questions de sa sœur au sujet de Hugh Damon commençaient vraiment à l'agacer. Depuis son remariage, Peg ne pensait plus qu'à une chose : la recaser elle aussi. C'était pénible, à la longue.

— Vous avez soif ? demanda Hugh.

Il rinça la louche, la remplit, puis la lui tendit. Elle accepta de bon cœur. L'eau fraîche valait tous les sodas du monde, et changeait du thé et du café. Lorsque sa main effleura les doigts de Hugh, elle sursauta, comme sous l'effet d'un courant électrique. Mais le grondement de tonnerre qui résonna juste à ce moment-là au-dessus de leurs têtes la tira d'embarras.

L'orage se rapproche, fit remarquer Hugh en examinant le ciel.

— J'ai l'impression qu'il sera là plutôt que prévu.

Elle lui rendit la louche et ajouta :

— Je vous prie de m'excuser, monsieur Damon, mais il faut que je me dépêche de rentrer mes pots de fleurs.

50

— Je vais vous aider, mais je vous en prie, nous nous connaissons assez maintenant pour laisser tomber les titres. Je m'appelle Hugh.

— Merci, Hugh, dit Faye qui aima la façon dont ce prénom sonna lorsqu'elle le prononça. En ce cas, appelez-moi Faye.

Comme ils se dirigeaient vers la serre, Addy saisit son frisbee entre ses dents et emboîta le pas à Hugh. En voilà encore une, songea Faye, qui a succombé au charme ravageur de notre hôte.

— Laissez, j'ai l'habitude, commença Faye, mais Hugh s'était déjà mis en devoir d'enlever de la vieille charrette tous les pots de fleurs qui y étaient exposés.

Le ciel s'était encore assombri, pendant qu'ils parlaient près du puits, et à présent, les nuages caracolaient à une vitesse vertigineuse.

Faye installa Caitlin à sa petite table, près du comptoir et s'empressa d'aller prêter main-forte à Hugh. Les pots furent rentrés en un temps record, mais tous deux se retrouvèrent complètement trempés. Le vent soufflait si fort que Faye avait du mal à rabattre les battants de la porte. Hugh vint encore une fois à son secours. La porte fut fermée en un tournemain, quelques secondes avant que la grêle ne se mette de la partie.

Les grêlons n'étaient pas énormes, Dieu merci, et rebondissaient sur le toit en Plexiglas sans provoquer de dégâts. Faye s'inquiétait en revanche pour le toit du jardin tropical. Fabriqué en verre Sécurit, il était garanti contre les intempéries. Faye n'était cependant qu'à moitié rassurée. Prenant Caitlin dans ses bras, elle fonça vers la pièce réservée aux chrysalides. Le martèlement de la grêle sur le toit était assourdissant. Elle s'apprêtait à ouvrir la porte du sanctuaire des papillons lorsque Hugh la rejoignit.

— Il vaudrait mieux regagner la maison, dit-il. Au cas où il y aurait une tornade.

— Ne parlez pas de malheur !

L'Ohio ne faisait pas partie des zones à risques, mais on avait déjà vu des tempêtes meurtrières s'abattre sur la région.

— Quand il fait ce temps-là, au Texas, on file se réfugier dans l'abri anti-tempête le plus proche. Vous avez bien une cave, non ?

Il n'avait pas l'air affolé, mais Faye comprit qu'il voulait éviter d'effrayer Caitlin, car son regard soucieux démentait son ton enjoué.

— Oui, nous avons une cave. Vous avez toujours vécu au Texas ? demanda Faye en s'efforçant de ne rien laisser paraître de la panique qui l'envahissait.

— Plus ou moins, dit-il en regagnant la serre. Mon père était dans l'armée. Nous avons habité un peu partout, mais c'est au Texas que j'ai fait mes études. Ma mère et ma demi-sœur y sont restées quand j'ai quitté la maison. Lorsque je suis revenu aux Etats-Unis, et que j'ai décidé de m'établir pour de bon, je me suis dit pourquoi pas au Texas ?

— Vous étiez parti à l'étranger ? Pour construire des centres-commerciaux ?

Il émit un rire bref et sans joie.

— Je ne construis des centres-commerciaux que depuis deux ans. Avant cela, j'ai travaillé dans le monde entier. J'ai construit des barrages en Chine, des ponts en Amérique du Sud. Je ne suis jamais resté plus d'un an ou deux au même endroit. En général, les chantiers étaient loin de tout.

Fascinée par cette vie aventureuse, Faye s'apprêtait à lui poser d'autres questions, lorsqu'un éclair zébra le ciel. Le formidable coup de tonnerre qui l'accompagnait mit brutalement fin à la conversation. L'heure n'était décidément pas au bavardage. Hugh lui raconterait sa vie une autre fois. Elle jeta un dernier regard à ses chers papillons, à travers les vitres de la pièce réservée aux chrysalides. Les insectes étaient désormais livrés à eux-mêmes. Rester dans la serre une minute de plus serait pure folie. Elle avait Caitlin dans les bras et ne voulait prendre aucun risque. Mais comment regagner la maison sans exposer la fillette aux éléments déchaînés ?

La grêle tombait drue et le vent soufflait avec force. Il fallait crier pour s'entendre. Des feuilles et des brindilles tourbillonnaient dans tous les sens et il y avait peut-être des branches d'arbre cassées en travers de la cour.

— On ne peut pas sortir comme ça, dit-elle à Hugh en lui montrant le short et le débardeur que portait la fillette.

— Vous n'avez pas un parapluie qui traîne quelque part ?

Faye fit non de la tête. La radio qui était sur le comptoir émit un hurlement de sirène signalant un avis de tempête. Une voix désincarnée annonça qu'une tornade avait été repérée à une quinzaine de kilomètres à l'ouest de Bartonsville. Elle se déplaçait vers le nord-est à la vitesse de quarante-cinq kilomètres heure. Toute personne se trouvant dans le secteur devait immédiatement se mettre à l'abri.

— Si elle garde la même trajectoire, nous n'avons rien à craindre, déclara Hugh d'un ton péremptoire. Mais pour plus de sûreté, mieux vaut aller à la cave.

Pas une seule seconde, Faye ne songea à mettre en doute la justesse de son pronostic. Quand elle était arrivée dans la région, il lui avait fallu des semaines avant de savoir s'orienter, mais Hugh ne semblait pas avoir ce problème.

Elle chercha avec quoi elle pouvait couvrir Caitlin.

— Nous pouvons peut-être l'envelopper dans l'un de ces drapeaux en Nylon ? suggéra-t-elle.

— D'accord. Ce sera toujours mieux que rien.

Il prit le premier drapeau qui lui tomba sous la main et commençait à le faire coulisser le long de sa hampe lorsque le regard de Faye tomba en arrêt sur les papillons et les colibris en résine qu'elle vendait comme souvenirs.

— Attendez ! J'ai une meilleure idée.

Elle fit le tour du comptoir et sortit d'un tiroir un rouleau de plastique à bulles.

— Je m'en sers pour emballer les bibelots. Enveloppée là-dedans, Caitlin sera bien abritée.

Il la gratifia d'un sourire qui fit monter en flèche sa pression artérielle.

— Excellente idée. Tenez, passez-la-moi.

Faye la lui tendit sans l'ombre d'une hésitation.

— Les bulles ! s'exclama Caitlin en transitant de bonne grâce des bras de sa mère à ceux de Hugh. Je veux les percer.

— D'accord, tu les perceras toutes si tu veux, promit Faye, mais à la maison. Si tu bouges, mon chaton, je ne vais pas y arriver. Alors tiens-toi tranquille, s'il te plaît.

Trente secondes plus tard, seule la tête de la fillette émergeait d'un cocon de plastique d'emballage.

— Superbe ! affirma Hugh. On va t'appeler miss Cocon, maintenant.

Faye réussit à rire malgré l'angoisse qui lui nouait la gorge.

— Non, pas miss Cocon. Miss Chrysalide, plutôt. Nous serons au moins sûrs qu'elle ne se transformera pas en une vulgaire mite. Nous voulons qu'elle soit un beau papillon, n'est-ce pas, ma chérie ?

Comme elle se penchait vers sa fille pour frotter son nez contre le sien, elle reçut en plein visage la chaleur qui émanait du corps de Hugh, et perçut les effluves poivrés de son après-rasage. Elle se redressa vivement, et recula.

Hugh ne se rendit compte de rien, apparemment.

— O.K., allons-y pour Miss Chrysalide. Attention, c'est parti !

Faye dut s'arc-bouter contre la porte pour la maintenir ouverte. Addy se mit à aboyer et se figea sur le seuil lorsqu'elle vit les grêlons qui crépitaient sur le dallage de pierre.

— Allez, viens, mon chien ! l'encouragea Faye.

D'ordinaire docile, la chienne ne bougea pas d'un pouce. Faye, décidée à employer les grands moyens, voulut la saisir à bras-le-corps, mais Addy, terrorisée, lui échappa.

— Addy ! Viens ici tout de suite, si tu ne veux pas qu'un coup de vent t'envoie sur Oz !

La chienne obéit, cette fois, et se laissa attraper.

Hugh s'effaça pour les laisser passer puis il tira violemment la porte derrière lui. Surprise par l'averse de grêle, Faye marqua un temps d'arrêt avant de s'élancer à travers le parking en serrant contre elle la chienne qui se contorsionnait et gémissait. La Chevrolet de Hugh était garée sous l'érable dans l'arrière-cour. Pourvu, songea-t-elle, qu'une branche ne tombe pas dessus ! Bien à l'abri dans la grange, sa voiture à elle ne risquait rien, Dieu merci.

De gros grêlons, ronds comme des billes, recouvraient le sol sur deux bons centimètres d'épaisseur. L'allée était glissante, presque aussi dangereuse que le jour où Caitlin était née. Elle se revoyait encore, avançant tant bien que mal dans la tourmente en serrant contre elle le nouveau-né, avec un sweat-shirt en guise de couverture pour le protéger du vent et de la neige fondue.

Faye n'osait pas se retourner pour regarder si Hugh et Caitlin suivaient. Elle avait bien trop peur de se tordre la cheville et de s'affaler au milieu de l'allée, sous le regard indigné de sa chienne. Elle ouvrit le portail en fer forgé, traversa la cour et entra enfin dans la maison. Du vestibule, elle fit signe à Hugh de la suivre dans l'escalier étroit et raide qui descendait au sous-sol. La cave était une grande pièce basse de plafond, au sol carrelé et aux murs chaulés, dans laquelle se trouvaient son lave-linge et son sèche-linge, ainsi que le chauffe-eau électrique et une antique chaudière qu'il faudrait sans doute bientôt remplacer. La cave, servant accessoirement de débarras, abritait également un vieux canapé, un petit téléviseur ainsi qu'un magnétoscope. Sans compter les jouets qui traînaient un peu partout, car les jours de pluie, la cave faisait aussi office de salle de jeux. Caitlin aimait venir s'y défouler. A son grand soulagement, Faye constata, lorsqu'elle pressa l'interrupteur, que l'électricité n'avait pas été coupée.

Sur l'étagère près de l'escalier, elle gardait à portée de la main une lampe torche, des bougies et un briquet, par mesure de sécurité. Avec un peu de chance, ils n'en auraient pas besoin cette fois-ci. Elle alluma la télévision, mais prit soin d'en baisser le son, espérant qu'ainsi Caitlin ne prêterait pas attention aux bulletins météorologiques. Une carte de la région apparut sur l'écran. Représenté par une grosse tache rouge, le centre de l'agitation se trouvait juste au-dessus de Bartonsville, mais il commençait à se déplacer vers l'est.

Ouf ! soupira Faye. Nous sommes à peu près tirés d'affaire.

Elle jeta un coup d'œil par l'une des petites fenêtres percées dans le haut des épais murs de pierre. La grêle s'était arrêtée, et il pleuvait à verse contre les vitres de verre dépoli.

Hugh avait posé Caitlin par terre et s'employait, accroupi à côté d'elle, à l'extirper de son cocon de plastique.

— Je veux ma Barbie, décréta la fillette dès qu'elle fut libérée.

Comme elle s'élançait vers l'escalier, Hugh la rattrapa par le poignet. Faye sentit son cœur bondir dans sa poitrine. Caitlin était si fluette qu'il risquait de lui briser le poignet sans même s'en apercevoir. Mais elle cessa de s'inquiéter quand elle s'aperçut qu'en réalité, il l'avait à peine touchée.

— Regarde, elle est là, ta Barbie, dit-il avec douceur en montrant le canapé.

Satisfaite, la fillette courut chercher sa poupée.

— Elle est dégourdie et n'a pas froid aux yeux, fit-il remarquer.

La fierté, et peut-être la tendresse, qui transparaissaient dans sa voix déclenchèrent en Faye un signal d'alarme.

— Elle est née en plein hiver, au beau milieu d'une tempête, lâcha-t-elle sans raison.

Comme une leçon apprise par cœur, les circonstances de la naissance de Caitlin étaient parfaitement claires dans son esprit, mais elle ne les évoquait jamais spontanément. C'était l'attitude du Hugh qui l'avait déstabilisée. Ce diable d'homme allait finir par lui faire dire n'importe quoi.

— Comment ça s'est passé ? demanda-t-il en la fixant droit dans les yeux. Racontez-moi.

Il se redressa, et bien qu'il ne fît guère plus d'une dizaine de centimètres de plus qu'elle, Faye eut l'impression qu'il la dominait d'au moins une tête. Le ton de sa voix n'avait pas changé, ni non plus son regard, mais elle sentit qu'elle ne pourrait se soustraire à son ordre muet et sans appel.

Et brusquement, elle prit peur. La peur panique qui s'empara d'elle n'était pas liée à la tempête, mais à cet homme, debout, en face d'elle, qui semblait la jauger, la disséquer comme s'il cherchait à percer les secrets de son âme. A cet homme qui savait qu'elle mentait. Sa gorge se serra et refusa de laisser passer la litanie des affabulations et des semi-vérités soigneusement concoctées qui constituaient, depuis bientôt trois ans, sa forteresse, en même temps que sa prison.

4.

Faye ouvrit la bouche mais aucun son n'en sortit. Et elle se trouva brusquement propulsée au milieu de son pire cauchemar. Debout dans une grande salle terriblement sonore, elle était exposée aux regards sévères de gens qui la jugeaient, et exigeaient de savoir pourquoi elle s'était appropriée un enfant qui ne lui appartenait pas. Elle avait beau expliquer ce qui l'avait poussée à agir ainsi, elle avait beau plaider sa cause, argumenter, supplier et verser toutes les larmes de son corps, l'une des silhouettes sombres s'avançait vers elle lentement, inexorablement, et lui arrachait Caitlin des bras avant de se fondre dans la nuit. Elle se réveillait alors, terrifiée, les joues inondées de larmes, et seul un saut jusqu'à la chambre de la fillette, paisiblement endormie dans son lit, parvenait à la calmer.

Mais on était en plein jour, et elle était éveillée. Elle ne rêvait pas. Ce qu'elle vivait là était bien réel. Pour l'avoir si souvent racontée, elle n'aurait aucun mal à relater une fois de plus la naissance de Caitlin. Tout était question de cran.

— Quand Caitlin est née, j'étais seule, entièrement livrée à moi-même, commença-t-elle d'une voix dont l'assurance était feinte. J'avais perdu mon mari six mois plus tôt. Et... depuis, je vivais recluse.

Des gouttes de pluie luisaient dans les cheveux châtains de Hugh, que la lumière crue des ampoules électriques nimbait de mèches dorées qu'elle n'avait encore jamais remarquées. Il n'avait plus rien de menaçant, bien que son regard aigu fût toujours rivé au sien.

— Vous avez dû avoir très peur.

— C'était vraiment terrifiant.

Elle n'eut pas à se forcer pour être convaincante. Elle avait fait entrer dans son histoire des pans entiers de vérité afin de la rendre plus crédible et de se faciliter la tâche. Et puis, à quoi bon aggraver son cas ? Elle mentait déjà bien assez comme ça.

— Avez-vous essayé de joindre le service des urgences ? Je suppose qu'il y en a un, à Bartonsville.

— Je n'en ai pas eu le temps, dit-elle en s'obligeant à soutenir son regard.

La machine était lancée ; elle n'avait plus qu'à lui débiter son texte sans trop se poser de questions.

— Contrairement à ce qu'on prétend en général quand il s'agit d'un premier enfant, le travail a été très rapide. Et puis je ne pouvais pas deviner que la tempête allait couper la ligne téléphonique. Je n'avais plus aucun moyen de communication avec l'extérieur. Seule l'électricité fonctionnait encore.

Tout cela était vrai, également, mais ces événements s'étaient produits *après* sa marche forcée à travers les champs verglacés, tandis qu'elle ramenait chez elle le nouveau-né.

Repensant au bébé bleu de froid, elle ne put s'empêcher de chercher sa fille des yeux. Assise devant la télévision, tout entière absorbée par un épisode des Razmokets, Caitlin ne s'occupait ni de la tempête qui se calmait ni de leur conversation.

— Caitlin est née, poursuivit-elle, et pendant trois jours, nous sommes restées enfermées ici, sans aucun contact avec le monde extérieur.

Une série d'images disparates se mirent à affluer à la surface de sa mémoire sans qu'elle réussisse seulement à en maîtriser le flux. Faye se revit, taillant des couches dans un vieux drap de flanelle. Puis elle avait pris un petit sac en plastique alimentaire et l'avait percé à une extrémité avec une épingle. Il avait fallu ensuite faire dissoudre un peu de sucre dans de l'eau tiède et verser ce mélange dans le sac, qu'elle avait tortillé à la manière d'un chef pâtissier s'apprêtant à glacer un gâteau. Elle avait alors introduit dans la minuscule bouche du bébé cette tétine improvisée. Et le miracle s'était accompli. Car malgré sa faiblesse, le nouveau-né n'avait heureusement pas perdu son réflexe de succion. Faye avait réussi à lui faire avaler ainsi quelques dizaines de grammes de glucose.

Elle avait ensuite cherché un moyen de le réchauffer. Allongée dans son lit, sous une pile de couvertures, longtemps elle avait bercé le bébé contre sa poitrine, lui communicant un peu de sa chaleur et de sa vigueur. Elles étaient restées blotties l'une contre l'autre, dans leur cocon de couvertures, pendant toute la durée de la tempête, et quand elles en étaient sorties, une transformation avait eu lieu, aussi spectaculaire que celle de la chenille en papillon.

Caitlin était devenue *sa* fille. Faye l'avait aidée à venir au monde, puis elle avait lutté pour la ramener saine et sauve à la maison. Elle l'avait nourrie, lavée, cajolée jusqu'à ce qu'elle s'endorme contre elle, bercée par les battements de son cœur.

Elle s'était mise à l'aimer.

Tout en sachant qu'elle ne pourrait pas la garder.

Le quatrième jour, le verglas avait fondu et la vie avait repris son cours, mais Faye était restée cloîtrée dans sa grande maison victorienne.

Elle savait que dès que le shérif apprendrait ce qui s'était passé, Beth et Jamie se verraient retirer la garde du bébé. La petite fille serait automatiquement confiée aux services sociaux qui la placeraient dans une famille d'accueil. Il y avait des familles aimantes et des familles mal-traitantes. Mais même si elle tombait bien, il risquait de se passer des mois, peut-être même des années avant que son adoption puisse être envisagée. Alors Faye n'avait pas bougé. Les routes étaient encore trop glissantes, se disait-elle pour museler sa conscience. Elle aviserait, une fois que le téléphone serait réparé. Et puis, elle voulait donner à Beth et à Jamie la possibilité de revenir sur leur décision. Pendant quelque temps encore, elle pourrait s'imaginer qu'elle avait un enfant — cet enfant qu'elle désirait tant.

Et puis elle avait reçu le journal.

Faye ferma les paupières et le journal lui apparut aussi clairement que si elle l'avait eu sous les yeux. Elle revoyait les gros titres consacrés à la tempête, et l'encadré dans lequel on faisait état des morts dues aux intempéries dans l'Ohio et les Etats voisins. Dans l'Indiana, disait l'article, à environ cent cinquante kilomètres de Bartonsville, la tempête avait causé sur l'autoroute un terrible carambolage. Onze véhicules s'étaient percutés, mais à l'heure où le journal mettait sous presse, on ne déplorait qu'un mort, un jeune homme de dix-sept ans venant du Massachusetts. Sa compagne, une adolescente, se trouvait dans un état désespéré. Le couple avait été identifié comme étant Jamie Sheldon de Boston, et Beth Harden de Houston.

Jamie et Beth.

Etait-ce une simple coïncidence ? s'était demandé Faye. S'il s'agissait des mêmes Jamie et Beth, la fillette qu'elle tenait dans ses bras était désormais orpheline.

L'article ne fournissait aucun autre détail susceptible de l'éclairer sur ce point. Il ne mentionnait pas le fait que Beth venait d'accoucher, et n'évoquait pas d'éventuelles recherches visant à retrouver le nouveau-né. Deux jours encore, Faye avait attendu que quelqu'un vienne récupérer le bébé. Mais plus le temps passait, et moins il y avait de chances pour que cela se produise. Les jeunes gens étaient morts en emportant leur secret avec eux. Personne ne savait qu'ils avaient eu un enfant.

C'était comme s'il n'existait pas.

Comme s'il était vraiment celui de Faye.

Et finalement, il avait suffi à Faye de déclarer que Caitlin était sa fille pour devenir légalement la mère de l'enfant.

Elle avait appris sur Internet qu'il était extrêmement simple dans l'Ohio de déclarer un enfant né à la maison. Il suffisait de se présenter, dans un délai de dix jours, à l'état civil du comté dans lequel avait eu lieu la naissance. Nul n'était besoin de fournir des témoins ou des certificats médicaux. Faye n'avait eu qu'à déclarer que le bébé était sa fille pour qu'on la croie sur parole. C'était son premier mensonge, et aussi celui qui lui avait le moins coûté. Il lui avait fallu moins de quinze minutes pour obtenir l'extrait d'acte de naissance qui faisait de Caitlin Hope Carson sa fille en bonne et due forme.

Faye s'aperçut que le silence s'éternisait entre Hugh et elle, et commençait à devenir gênant. Mais les remords qu'elle avait relégués dans le coin le plus reculé de son esprit firent brusquement surface. Elle n'avait plus envie de parler de la naissance de Caitlin. Ni de mentir à Hugh.

— La tempête s'est calmée, dit-elle. Je crois que nous pouvons remonter.

Il n'essaya pas de l'en dissuader. Sans rien ajouter, elle éteignit la télévision et prit sa fille dans ses bras.

De retour dans son environnement familier, entre les quatre murs de sa cuisine jaune et blanc, elle recouvra son sang-froid et ses scrupules disparurent.

— En dehors de votre sœur, vous avez de la famille, dans la région ? demanda Hugh, appuyé nonchalamment contre le comptoir de granit, les bras croisés sur la poitrine.

Sa chemise mouillée lui collait à la peau, réactivant les fantasmes de Faye qui, pétrifiée de désir, comme hypnotisée, ne pouvait s'empêcher de le fixer. S'arrachant péniblement à cette contemplation fascinée, elle gagna la fenêtre en saillie qui donnait sur les champs et regarda le ciel tourmenté.

— Mon mari a quelques cousins éloignés, mais mis à part eux, non, personne. Peg et ses fils sont la seule famille qui me reste.

Caitlin s'étant mise à gigoter, Faye dut la poser par terre. La fillette se précipita vers Hugh et commença à tirer sur la jambe de son pantalon.

— Un gâteau, s'il te plaît.

— La boîte est juste derrière vous, dit Faye.

Hugh tourna la tête et vit la grande boîte ronde, sur l'étagère.

— Je peux ? demanda-t-il.

Faye acquiesça d'un signe de tête. Il semblait parfaitement à l'aise dans sa cuisine. Il se baissa, prit Caitlin dans ses bras et la laissa se servir elle-même.

— Croque un petit bout, ordonna la fillette en lui plaquant sur les lèvres le biscuit qu'elle venait de piocher dans la boîte.

Il se figea, visiblement décontenancé, puis il grignota le bord du biscuit, dont Caitlin ne fit ensuite qu'une bouchée.

— Il est bon, hein ?

— Excellent ! Merci Caitlin, dit-il en lui caressant la tête.

Le cœur de Faye se mit à battre à grands coups. Quelle charmante petite famille ils formaient, tous les trois ! Cela lui semblait tellement naturel de voir sa fille dans les bras bronzés de Hugh.

Dès qu'il la reposa par terre, Caitlin fonça comme un bolide dans la salle à manger, où elle aimait jouer.

Un long silence plana entre eux, qui mit Faye au supplice. Cherchant désespérément quelque chose à dire, elle renoua le fil de la conversation.

— Vous avez mentionné votre demi-sœur, tout à l'heure. Vous êtes issu d'une famille nombreuse ?

Une ombre passa sur son visage. Si fugace, que Faye se demanda si son imagination ne lui jouait pas des tours.

— Mes parents sont morts, dit-il.

— Oh, je suis désolée.

Il hocha brièvement la tête et ajouta :

— Je n'ai qu'une demi-sœur, Beth. Elle a vingt ans.

— Beth ? C'est le diminutif d'Elisabeth ?

— Non. Beth est vraiment son nom.

Un petit frisson la parcourut. Chaque fois qu'elle l'entendait, ce prénom lui faisait immanquablement penser à l'infortunée maman de Caitlin. C'était d'autant plus troublant qu'elle venait juste de penser à elle.

— C'est... un joli prénom, bredouilla-t-elle. Vous êtes très proches ?

— Nous pourrions l'être encore davantage.

Cette fois, elle n'avait pas rêvé : une profonde souffrance transparaissait dans sa voix.

— Elle a beaucoup de problèmes, ajouta-t-il. Tant sur le plan physique que sur le plan mental. Elle a été victime d'un accident de voiture. C'est une longue histoire. Je n'étais pas là pour m'occuper d'elle, et maintenant que je suis là...

— Elle n'a plus envie d'être maternée, compléta Faye.

« Une autre Beth. Une autre tragédie. Et des remords, encore », pensa-t-elle.

— C'est à peu près ça.

— Je suis désolée.

Spontanément, Faye posa une main sur son avant-bras, et le regretta aussitôt. La frustration qu'elle ressentit au contact de cette peau d'homme, délicieusement chaude, douce et rugueuse à la fois, lui servit de leçon.

— Je vais peut-être vous paraître indiscrète, dit-elle, mais moi, à votre place, je m'empresserais d'aller la rejoindre.

— Elle est au Texas. Si je n'étais pas susceptible d'être appelé sur le chantier à tout moment, je rentrerais.

— Elle n'a personne d'autre ?

— Si, son père.

Il fronça les sourcils et ajouta :

— Mon beau-père vit toujours, mais Beth et lui sont des étrangers l'un pour l'autre.

— Je vois.

Elle sentit qu'il ne tenait pas à en parler.

— Vous pourriez peut-être la faire venir ? lança-t-elle sans réfléchir.

Il leva lentement les yeux vers elle et la fixa longuement. Son regard était aussi sombre que le ciel avant la tempête.

— Je ne suis pas sûr que ce soit une bonne idée.

66

— Pourquoi ? Cet endroit m'a aidée à reprendre le dessus, après la mort de Mark. Votre sœur pourrait sans doute elle aussi trouver en ces lieux un peu de réconfort et de sérénité.

— Du réconfort et de la sérénité ? Elle aurait bien besoin des deux.

— Elle est la bienvenue.

Il se pencha en avant et Faye se sentit attirée vers lui comme par un aimant. Lorsqu'il tendit la main vers son visage, elle retint son souffle, persuadée qu'il allait la toucher, et peut-être même l'embrasser. Mais elle se trompait. Laissant son geste en suspens, Hugh recula. Il garda le silence un long moment, puis il serra les mâchoires et hocha la tête d'un air grave, comme s'il venait de prendre une décision lourde de conséquences.

— Vous avez raison, Faye. Le moment est venu de faire venir Beth à la Ferme des Papillons.

Posant les pieds sur le muret de pierres qui entourait le patio de son cottage, Hugh se carra plus confortablement sur sa chaise de jardin. Chaque soir, il venait s'y asseoir pour admirer le coucher de soleil. Le bungalow voisin du sien était occupé par un couple entre deux âges qui venait du Michigan. Mais ils s'étaient déjà retranchés dans leurs appartements, aussi Hugh était-il tranquille. Il leva les yeux vers le ciel faiblement étoilé. Le disque rougeoyant du soleil s'était peu à peu enfoncé derrière l'horizon, embrasant le ciel de rose, d'orange et de pourpre. Les nuages de l'après-midi avaient migré vers le nord et vers l'est, emportant avec eux une partie de l'humidité ambiante.

Cela faisait une heure qu'il était assis là, et observait Faye qui s'affairait autour de la serre. Il avait vu arriver une estafette et en sortir un homme brun, accompagné de deux petits garçons. Pendant qu'il parlait avec Faye, les enfants s'étaient amusés à jeter des cailloux dans le lac. Caitlin les suivait comme un petit chien, courant derrière eux aussi vite que le lui permettaient ses petites jambes. Puis Faye leur avait crié quelque chose et ils avaient pris la fillette par la main et la lui avaient ramenée. Portant Caitlin dans ses bras, elle avait escorté l'homme jusqu'à la lisière du champ de blé et l'avait regardé tandis qu'il évaluait les dégâts. Hugh en avait conclu qu'il devait s'agir de Steve, son beau-frère, et que les petits garçons étaient ses neveux.

Après s'être entretenu un moment avec Faye, l'homme appela les garçons et remonta dans son estafette grise. Hugh ne s'attendait pas qu'il s'arrête devant le bungalow et vienne le saluer.

— Je suis Steve Baden, dit-il en s'avançant vers lui. Le beau-frère de Faye.

— Hugh Damon.

Ils échangèrent une poignée de main. Steve avait la paume calleuse et large comme un battoir. Hugh crut qu'il allait lui broyer les doigts. Il eut droit à un regard inquisiteur aussi appuyé que celui que lui avait lancé la sœur de Faye.

— Faye m'a dit que vous alliez rester quelque temps, alors j'ai pensé qu'il valait mieux que je me présente.

— Oui, je suis là pour deux ou trois semaines. Je travaille à la construction du nouveau centre commercial, au nord de la ville.

Steve hocha la tête, l'air renfrogné.

— J'en ai entendu parler. Il paraît que ça va créer des emplois. En attendant, il a fallu exproprier trois exploitants agricoles.

— Je n'étais pas au courant.

De toute évidence, Steve Baden ne voyait pas d'un très bon œil la transformation du paysage rural. A vrai dire, Hugh était un peu de son avis, mais il pouvait difficilement le lui dire. Car le jour où les promoteurs cesseraient de construire des centres commerciaux, il se retrouverait au chômage.

— Je comprends que vous préfériez loger ici plutôt que dans un de ces motels d'autoroute. Le coin est joli. Calme. Reposant. C'est moi qui m'occupe de l'entretien des cottages. Si vous avez quoi que ce soit à réparer, n'hésitez pas. J'habite à moins de deux kilomètres d'ici.

— D'accord, je vous ferai signe. Merci, en tout cas.

Les deux garçons, qui étaient restés dans l'estafette, s'étaient mis à chahuter.

— Jack ! Guy ! Tenez-vous tranquilles ! ordonna Steve sans même se retourner.

Les deux garnements cessèrent aussitôt de se battre, mais ils n'en continuèrent pas moins à sauter sur le siège.

— Jack a essayé de m'écraser une crotte de nez sur la joue ! cria le plus jeune par la fenêtre.

— C'est même pas vrai !

— Si, c'est vrai ! Sale menteur !

Steve secoua la tête, l'air amusé. Puis il se retourna et tendit un doigt menaçant vers les garçons.

— Je vous ai dit de vous tenir tranquilles !

Ils se calmèrent instantanément, mais le plus jeune croisa les bras sur sa poitrine et se mit à bouder.

— Il faut que je les ramène à leur mère, dit Steve en tendant de nouveau la main à Hugh. Content de vous connaître.

— Moi de même.

Dès que la camionnette fut partie, Hugh retourna s'asseoir sur sa chaise. Le beau-frère de Faye ne s'était pas arrêté juste pour lui serrer la main. Apparemment, Steve Baden se sentait d'une certaine façon responsable de Faye et de Caitlin. Il voulait voir à quoi ressemblait Hugh et s'assurer que ses protégées ne couraient aucun danger. Mais Hugh ne lui en tenait pas rigueur. A sa place, il aurait sans doute fait la même chose.

Sa mère n'avait eu personne pour veiller sur elle. Après la mort de son mari, militaire de carrière, elle avait épousé le père de Beth. Trace Harden n'était pas un mauvais bougre, mais il n'arrivait pas à la cheville du père de Hugh. De leur brève union était née Beth, puis Trace avait plié bagage. Il ne s'était plus manifesté jusqu'à ce que leur mère meurt dans un accident de voiture alors que Beth avait quatorze ans.

Croyant bien faire, Hugh avait envoyé la jeune fille vivre avec son père et la troisième femme de celui-ci à Boston. Il pensait qu'elle serait mieux là-bas, entre son père et sa belle-mère, plutôt qu'avec un frère qui passait une bonne partie de l'année à l'étranger, dans des coins perdus où il était souvent injoignable. Jusqu'à son dernier jour, il regretterait de s'être séparé de Beth.

Il s'extirpa de sa chaise et, passant le mur du patio, foula la pelouse humide. Des nuées de moustiques voletaient autour de lui. Il les chassa du revers de la main puis rejoignit l'allée de gravier et monta jusqu'au sommet de la colline. Le regard tourné vers les étoiles, il cherchait la Grande Ourse. Mais l'image de Faye, omniprésente, s'imposa de nouveau à son esprit. Il revoyait sa longue chevelure blond doré encadrant son visage joliment hâlé, et il sentait encore sur son bras la douceur de ses doigts. Il avait failli faire une sacrée bêtise, quand elle l'avait touché. S'il ne s'était pas retenu, il l'aurait embrassée, tant il brûlait de goûter au nectar de ses lèvres charnues.

Nouer avec Faye une relation amoureuse ne serait pas très malin de sa part. Les choses étaient déjà bien assez compliquées comme ça.

Une fois au cimetière, il constata que la lune avait par son éclat évincé les étoiles. Soucieux de ne pas troubler le repos des Carson, des Barton et des Baden qui étaient enterrés là, il resta en-deçà de la grille ouvragée. Son regard ne s'attarda pas longtemps sur les tombes. Les lumières qui brillaient aux fenêtres du manoir l'attiraient irrésistiblement. La deuxième fenêtre en partant de la droite, à l'étage, était celle de la chambre de Faye. La chambre de Caitlin se trouvait juste à côté.

Caitlin. Si mignonne et tellement attachante ! Hugh avait acquis la certitude que Faye ne l'avait pas kidnappée. Beth et son petit ami avaient dû la lui laisser. Faye s'était ensuite trouvé de bonnes excuses pour la garder, mais peut-être avait-elle bien fait. Caitlin n'aurait pas pu mieux tomber. Hugh ne se voyait pas l'arracher brutalement à ce bonheur tranquille. En faisant valoir les droits de Beth, il risquait de briser la vie de la fillette, en plus de celle de Faye. Et il ne pouvait se le permettre, qu'elle fût ou non sa nièce.

Que se passerait-il, s'il amenait Beth ici ? Se souviendrait-elle enfin des heures cruciales qui avaient précédé l'accident ? Devinerait-elle la véritable identité de Caitlin ?

Mais à quoi bon tenter l'expérience ? Ne cherchait-il pas tout simplement à se donner bonne conscience ?

Peut-être ferait-il mieux de partir… Après tout, Caitlin était heureuse et ne manquait de rien. Quant à Beth, elle allait finir par tourner la page. Un jour, elle rencontrerait l'homme de sa vie et aurait d'autres enfants. Les choses suivraient leur cours ; il n'avait pas à interférer.

Fort de cette pensée, Hugh s'éloigna du cimetière et reprit le chemin de son cottage. Au moment où il en ouvrait la porte grillagée, son téléphone portable sonna.

— Damon, j'écoute, dit-il dans l'appareil.

— Hugh ?

La voix de Beth semblait toujours lointaine et incertaine. En la reconnaissant, Hugh sentit son estomac se nouer. Il l'appelait régulièrement, mais jamais elle ne lui téléphonait.

— Bonsoir, Beth. Comment ça va ? demanda-t-il en s'efforçant de masquer son inquiétude.

— Ça va plutôt bien.

— Ah bon ? On ne dirait pas, pourtant. Tu as échoué à tes examens ?

Beth avait repris des études de comptabilité, six mois plus tôt, tout en poursuivant sa rééducation. Après l'accident, il lui avait fallu réapprendre à parler et à marcher. Elle avait fait d'énormes progrès, et tout serait probablement rentré dans l'ordre, sans ces affreux cauchemars qui perturbaient ses nuits depuis plusieurs semaines.

— Mes examens ? Non, je les ai tous eus.

— Ça n'a pas l'air de te faire particulièrement plaisir, fit remarquer Hugh en fronçant les sourcils.

Il y eut un silence au bout de la ligne, si long qu'il se demanda si elle n'avait pas raccroché.

— Beth ? Qu'est-ce qui ne va pas ? Quelque chose te tracasse ; je le sens bien.

— Voilà que tu recommences à jouer les grands frères inquiets ! dit-elle avec une espèce de gloussement qui tenait plus du sanglot que du rire.

Les doigts de Hugh se crispèrent sur le combiné.

— Je suis ton frère, Beth. Dis-moi ce qui ne va pas.

Elle soupira et confia d'une toute petite voix :

— La mère de Jamie m'a appelée. Elle veut… que j'aille voir une hypnotiseuse. Elle paiera la consultation.

Maudite bonne femme ! Richissimes, Harold et Lorraine Sheldon n'hésiteraient pas à dépenser des fortunes pour arriver à leurs fins. Ils voulaient retrouver leur petite-fille, coûte que coûte. Peu leur importait d'ajouter encore aux souffrances de Beth. Du jour où elle avait repris conscience, trois semaines après l'accident, ils n'avaient cessé de jouer sur son sentiment de culpabilité et ses problèmes d'amnésie.

Il paraît qu'elle a des pouvoirs incroyables. Les parents de Jamie disent qu'elle m'aidera à recouvrer la mémoire. Que dois-je faire, Hugh ? J'ai un enfant quelque part. Une petite fille. Dont je ne soupçonnerais même pas l'existence si mon journal n'était pas là pour l'attester. Je ne me souviens de rien, ni de la grossesse ni de l'accouchement. Absolument de rien…

Elle pleurait pour de bon, cette fois, et semblait si profondément malheureuse qu'en Hugh la compassion le disputait à l'envie qu'il avait d'étrangler Lorraine Sheldon.

— Ne t'inquiète pas, Beth. Ils ne peuvent pas t'obliger à aller voir cette hypnotiseuse. Cela ne servirait à rien ; les médecins ont été très clairs sur ce point. Et comme ils te l'ont expliqué, le stress risquerait d'aggraver encore les choses.

Le traumatisme crânien et l'hémorragie dont elle avait souffert lui avaient causé des lésions cérébrales irréversibles.

— Mais peut-être qu'ils se trompent…

Tout était perceptible dans sa voix : sa fragilité, sa crédulité, son espoir un peu fou de guérir malgré tout, en même temps que la crainte de devoir renoncer complètement à recouvrer la mémoire. Des miracles se produisaient quelquefois. Le cerveau humain possédait des ressources insoupçonnées.

— Si je vais voir cette hypnotiseuse, nous arriverons peut-être à savoir ce qui s'est passé. Vivant ou mort, il faut que nous retrouvions cet enfant. L'incertitude les mine.

— Qu'ils aillent au diable ! marmonna Hugh, incapable de refréner la colère qu'il sentait monter en lui.

L'enquête ordonnée après l'accident n'avait débouché sur aucune piste, aucun indice. Aucune poursuite n'avait été engagée contre Beth, mais l'instruction n'était pas terminée. Beth vivait avec une épée de Damoclès suspendue au-dessus de la tête, car elle risquait à tout moment de se voir inculper d'infanticide.

— Tu sais aussi bien que moi, reprit-elle d'un ton las, que le bébé est sans doute mort. Si… je ne l'avais pas tué, je ne l'entendrais pas crier, la nuit, et je ne verrais pas tout ce sang, sur la neige. Ni ces papillons sortis des recoins les plus obscurs de ma mémoire.

— Arrête, Beth. Tu te fais du mal. Il faut que tu te détendes et penses à autre chose.

Faute de quoi, elle passerait la nuit prostrée sur le canapé du salon, ressassant interminablement ses craintes et ses incertitudes.

— Je ne peux pas.

En l'entendant renifler, il la revit brusquement telle qu'elle était à quatre ans. Quand elle s'égratignait les genoux, elle venait le voir pour qu'il la console et sèche ses larmes. Dieu qu'il aimerait pouvoir encore la consoler !

— Mais si, tu peux ! Rappelle-toi les techniques de relaxation que t'a enseignées le Dr Webster.

Le médecin traitant de Beth était une femme remarquable, mais d'après ce qu'elle avait dit à Hugh, la dernière fois qu'il l'avait vue, elle avait fait pour Beth tout ce qui était en son pouvoir. La guérison devait maintenant venir de l'intérieur.

— Celle de la coupe glacée vanille-chocolat est celle que je préfère, confia-t-elle d'une voix déjà un peu moins tremblante.

Hugh déglutit pour dissiper l'émotion qui le gagnait à son tour.

— Si les glaces figurent sur l'ordonnance, je crois que je vais me mettre à consulter les psy !

Il l'entendit rire, au bout du fil.

— Tu me manques, dit-elle tout bas. Je n'ai pas souvent l'occasion de te le dire, mais je veux que tu le saches. Je voudrais que tu sois là pour m'aider à affronter la mère de Jamie. Je me connais. Dès qu'elle passera la porte, je perdrai tous mes moyens et serai incapable de lui refuser quoi que ce soit. Je ne sais pas pourquoi, mais je n'arrive pas à lui dire non.

Furieux contre les Sheldon, Hugh serra les mâchoires. Il veilla cependant à ne pas se laisser emporter.

— Tu veux dire que Lorraine et Harold vont venir à Houston ?

Il l'imagina en train de hocher la tête, ses fins cheveux blonds balayant ses joues pâles.

— Ils arrivent dans trois jours.

Il n'y avait qu'une seule chose à faire. Ce n'était peut-être pas une bonne idée, mais Hugh refusa d'y réfléchir à deux fois.

— Eh bien, quand ils arriveront, tu seras partie ! lança-t-il comme on se jette à l'eau.

— Que veux-tu dire ?

— Fais ta valise. Je m'occupe tout de suite de te réserver une place sur le premier vol en partance pour Cincinnati.

— Mais Hugh, tu sais l'heure qu'il est ?

Elle protestait pour la forme, car l'excitation perçait dans sa voix. Hugh se passa une main dans les cheveux.

— D'accord, sur le premier vol de la matinée. Tu vas venir me rejoindre dans l'Ohio.

— Mais que vont dire… ?

— Harold et Lorraine Sheldon peuvent aller au diable !

Comment Faye allait-elle accueillir la nouvelle ? se demanda Hugh, dès qu'il eut raccroché. Quelle serait sa réaction en voyant Beth ? Et si, comme il le pressentait, Caitlin était la fille de Beth, lui en voudrait-elle d'avoir orchestré leurs retrouvailles à son insu ? Risquait-il de se mettre définitivement à dos la femme qui commençait à compter pour lui plus qu'il ne voulait bien l'admettre ?

5.

Beth appuya sa jambe valide contre le tableau de bord de la Chevrolet et scruta le paysage à travers le pare-brise. Plus que quelques kilomètres et ils seraient arrivés, lui avait dit Hugh en s'engageant sur la départementale. Depuis qu'ils avaient quitté l'autoroute et qu'ils filaient vers l'est, elle se sentait un peu moins nerveuse. Car ils ne risquaient plus de tomber sur des panneaux routiers indiquant le nombre de kilomètres restant à parcourir pour atteindre cette ville de l'Indiana où avait eu lieu son accident.

Elle n'avait bien sûr aucun souvenir ni de la ville ni de l'accident, mais le simple fait de savoir qu'il s'était produit à quelque cent cinquante kilomètres de là la mettait dans tous ses états. Essuyant sur son jean ses mains moites de sueur, Beth décida de penser à autre chose. C'était un truc qu'elle pratiquait souvent, et qui marchait, quelquefois.

— Tu es sûr que ça ne posera pas de problème à ta logeuse, que je partage le cottage avec toi ? demanda-t-elle tout à trac.

— Ça ne pose aucun problème. Elle est au courant. Je l'ai prévenue de ton arrivée, avant de partir pour l'aéroport.

— Je t'avais déjà posé la question, non ?

Il lui arrivait encore d'avoir des absences, de perdre ses mots, de bredouiller lamentablement ou de poser plusieurs fois la même question. Elle se faisait parfois l'effet d'une septuagénaire atteinte de la maladie d'Alzheimer. Sauf qu'elle avait vingt ans.

— Oui, mais une fois seulement depuis que nous avons quitté l'autoroute.

— Je viens de voir un panneau indiquant la Ferme des Papillons. C'est tout droit, à trois kilomètres.

Elle avait prononcé ces mots d'un ton enjoué, heureuse de constater que si elle avait des trous de mémoire, sa vue, elle, était intacte en dépit du stress enduré ces dernières quarante-huit heures. C'était plutôt bon signe et confirmait qu'en dehors de ses problèmes d'amnésie, elle n'avait pas gardé de graves séquelles de l'accident.

Sa hanche commençait à l'élancer et elle sentait venir une crampe dans son mollet droit. Il était temps qu'ils arrivent.

— La douleur a du bon, marmonna-t-elle en se massant la jambe.

Avec toutes ses cicatrices, elle hésiterait désormais à se mettre en short ou en maillot de bain, mais elle avait échappé à l'amputation et pouvait s'estimer heureuse d'avoir pu garder sa jambe.

Jamie, lui, avait eu beaucoup moins de chance. *Et leur petite fille ? Etait-elle morte, elle aussi ?* Beth s'empressa de chasser de son esprit ces horribles pensées qui la rendaient cafardeuse et exacerbaient son sentiment de culpabilité.

— Ta jambe te fait mal ?

Elle respira un grand coup et se redressa sur son siège. Hugh était là ; cette fois, elle ne se laisserait pas gagner par la déprime.

— Un peu.

— Nous y sommes presque. Ça ira mieux quand nous aurons fait quelques pas. Après, je t'emmènerai manger à la Gerbe d'Or, à Bartonsville. Leur pain de viande vaut le détour.

— Je ne mange pas de viande rouge.

— Je sais, mais je mangerai ta part en plus de la mienne. Tu te rattraperas sur la purée et la salade. Je parie que ta religion ne t'interdit pas la tarte à la banane ?

Elle adorait quand il se moquait d'elle. Son sourire était irrésistible. Elle était de parti pris, bien entendu. N'empêche que Hugh avait un charme fou. Il ressemblait beaucoup à son père, mort quand Hugh avait huit ans. Elle était née six ans plus tard, mais elle faisait comme s'il était son père, à elle aussi. Il avait fière allure dans son uniforme des bérets verts, et en imposait bien plus que Trace, son vrai père.

— Je ne te laisserai pour rien au monde ma part de tarte à la banane. Surtout si elle est recouverte de crème fouettée.

— Elle l'est.

— Alors tu devras te contenter de ta part.

Ils étaient arrivés à destination. Enfin ! Lorsque Beth ouvrit la portière, la chaleur humide du début d'après-midi s'engouffra dans l'habitacle de la Chevrolet.

— Quelle chaleur ! soupira-t-elle.

— Ce n'est pas pire qu'à Houston.

— L'été, Houston est un véritable enfer. C'est donc là que nous allons habiter ?

Avec son toit pentu, ses rebords de fenêtres peints en vert croulant sous les géraniums, son authentique porte-moustiquaire et ses chaises de jardin d'une autre époque, le cottage l'emballa immédiatement. Elle s'extirpa péniblement du véhicule.

— On se croirait revenu dans les années 50.

— C'est le plus beau compliment que tu puisses faire à Faye. Je crois qu'elle s'est donné beaucoup de mal pour recréer cette ambiance. Et attends de voir le réfrigérateur. Tout droit sorti de *Happy Days*. Un look fantastique, mais malheureusement pas de congélateur. Pour ta coupe vanille-chocolat, il faudra aller chez le glacier du coin.

Laissant à Hugh le soin de sortir du coffre son sac de voyage, elle contourna le cottage en boitillant, curieuse de voir à quoi ressemblait la propriété. Elle embrassa du regard la cour ombragée, la grange, le lac aménagé et les champs qui s'étendaient à perte de vue dans toutes les directions. Dans la cour, une femme était en train de ramasser des branches, sans doute cassées par la tempête dont Hugh lui avait parlé.

Un chien, qui ressemblait comme deux gouttes d'eau à Lassie, en plus petit, traînait dans ses jambes. Il y avait aussi une petite fille armée d'un bâton presque aussi grand qu'elle. Une petite fille qui devait avoir deux ans ou deux ans et demi, à peu près l'âge qu'aurait eu sa fille. C'était plus fort qu'elle : Beth ne pouvait s'empêcher, quand elle voyait un jeune enfant, de penser au bébé qu'elle avait perdu.

— C'est Faye Carson et sa fille, dit Hugh, qui l'avait rejointe. Tu veux aller les saluer maintenant ?

— Oui. Pourquoi pas ?

Hugh lui avait expliqué que la propriétaire du manoir était une jeune veuve qui vivait seule avec sa fille. Beth avait même retenu leurs noms : Faye et Caitlin.

— Tu es sûre que tu vas supporter de voir tous ces papillons ?

Elle allait essayer, en tout cas. C'était une étrange coïncidence que Hugh soit tombé sur une réserve de papillons. Depuis quelque temps, ils peuplaient ses cauchemars, mais elle n'en avait pas vraiment peur. Fut un temps où elle aimait les papillons. Et où elle rêvait de devenir entomologiste. C'était le genre de détails inutiles dont elle se souvenait sans problème.

Hugh fixait d'un air indécis la femme et la fillette.

— Tu m'as *déjà* posé cette question ! dit-elle en lui donnant un coup de poing sur le bras.

Ses biceps étaient durs comme de la pierre. Beth fit une grimace de douleur.

— Je parie que tu as travaillé comme un forçat.

— J'ai travaillé, c'est tout.

— Eh bien, moi, je suis venue pour me reposer. Ça va être formidable de rester à ne rien faire.

Depuis l'accident, c'était la course en permanence — en béquilles. Entre la rééducation, la psychothérapie, les efforts qu'elle devait fournir pour ne pas se laisser rattraper par ses cauchemars, Beth n'avait, jusqu'ici, pas eu une seule minute de répit. Elle avait envie de lire, de se promener au bord du ruisseau qui serpentait un peu plus bas, de pêcher dans le lac. Peut-être même qu'elle visiterait la réserve. Les papillons n'avaient jamais mangé personne. Et si le meilleur moyen de se débarrasser de ses démons était de les affronter une fois pour toutes, elle la visiterait plutôt deux fois qu'une !

— On y va ? dit Hugh en passant un bras autour du sien. Surtout, ne brusque pas les choses. Je suis sûr qu'entre vous, le courant va passer.

Il avait vraiment l'air d'appréhender cette rencontre. Hugh n'était pourtant pas du genre tendu. Perplexe, Beth regarda de nouveau la femme et la fillette, toujours occupées à ramasser des bouts de bois. Elle frissonna sans raison apparente. Devait-elle y voir un signe ?

Très anodine, la scène qu'elle avait sous les yeux semblait extraite d'un tableau de Norman Rockwell. Elle n'avait rien d'effrayant, en dehors de la serre, que rien ne l'obligeait à visiter. Sans doute était-ce la fatigue, tout simplement. Il était temps de se secouer.

— Allons-y, dit-elle. J'ai hâte de connaître Faye Carson et sa petite fille.

Il était passé la voir à la serre de bonne heure ce matin. Caitlin dormait encore, mais sa chambre était reliée à la serre par un baby-phone, afin que Faye soit prévenue de son réveil.

Il avait accepté une tasse de café, qu'il prenait noir et sans sucre, mais refusé de goûter aux muffins. Il lui avait expliqué que sa sœur arrivait de Houston en début d'après-midi et qu'il allait la chercher à l'aéroport. Il semblait nerveux ; Faye avait deviné, en voyant ses mâchoires crispées, que quelque chose le préoccupait. Elle en avait conclu qu'il devait s'inquiéter pour sa sœur, ce qui était tout à son honneur.

Le cœur de Faye manqua un battement lorsque la jeune femme que Hugh tenait par le bras sortit de la lumière éblouissante du soleil et qu'elle put distinguer ses traits.

La mère de Caitlin !

La jeune fille qu'elle avait cru morte deux ans et demi plus tôt...

Ce fut comme une seconde perpétuelle. La terreur étreignit le cœur de Faye. De nombreuses pensées s'entrechoquaient dans sa tête : les suppositions se mêlaient aux certitudes qui s'effritaient aussitôt, suivies d'hypothèses bancales n'ayant ni queue ni tête.

— Bonjour ! lança l'apparition d'une voix douce et légère que Faye aurait reconnue entre mille. Je suis Beth Harden, la sœur de Hugh. Que se passe-t-il ? On dirait que vous avez vu un fantôme ?

— Euh..., excusez-moi, bredouilla Faye en plaquant un sourire sur ses lèvres. Je crois que... je me suis relevée trop brutalement. Mais ça va mieux. Ravie de vous connaître, Beth. Vous êtes la bienvenue à la Ferme des Papillons.

Plus morte que vive, Faye se demandait si ses jambes n'allaient pas se dérober sous elle. Sous ses pieds, le sol ne semblait plus aussi stable, plus aussi solide. Elle avait l'impression d'être aspirée par des sables mouvants.

— Je suis contente d'être venue, madame Carson.

— Faye. Je m'appelle Faye.

Ces mots, elle les avait prononcés ce jour de novembre, au milieu de la tourmente. Ils résonnaient encore à ses oreilles. Beth s'en souvenait-elle ?

— C'est gentil, Faye. Mon frère m'a dit que vous aviez eu une grosse tempête, hier, dit Beth en balayant du regard la cour jonchée de branches et de brindilles cassées et les plates-bandes de pensées dévastées. Il m'a dit aussi que la propriété était magnifique. Je dois reconnaître qu'il avait raison.

— Merci. J'ai passé ces trois dernières années à la restaurer.

A bout de nerfs, Faye trouvait miraculeux de pouvoir encore parler. Pourquoi ces politesses ? Pourquoi Beth et son frère n'en venaient-ils pas directement aux faits ? Qu'attendaient-ils pour lui réclamer Caitlin, et lui ôter sa seule raison de vivre.

— Vous n'avez pas perdu votre temps.

Le sourire de la jeune fille était agréable mais réservé, comme si elle ne la connaissait pas. Un espoir insensé se fit brusquement jour dans l'esprit de Faye. Se pouvait-il que Beth n'eût pas reconnu en elle la femme qui l'avait aidée à mettre au monde son bébé ? Comment était-ce possible ? se demanda-t-elle le cœur battant.

Derrière elle, Caitlin, qui jouait avec Addy, riait aux éclats. Faye n'y comprenait plus rien. Elle venait de vivre l'instant qu'elle redoutait le plus depuis deux ans et demi, et en définitive, rien de terrible ne s'était produit. Le ciel ne lui était pas tombé sur la tête, le monde n'avait pas cessé de tourner, et la frêle apparition, resurgie du passé sans crier gare, ne lui avait pas réclamé Caitlin à cor et à cri.

Mue par un instinct violent et désespéré, Faye n'en éprouvait pas moins le désir d'attraper Caitlin au vol et de s'enfuir aussi loin et aussi vite que possible. Mais elle savait que Hugh Damon surveillait chacun de ses mouvements. Il cachait bien son jeu, celui-là, mais elle avait senti, dès le premier jour, qu'il allait lui attirer des ennuis. Il *savait*, et rien de ce qu'elle pourrait dire ou faire ne parviendrait à dissiper ses soupçons. Elle aurait dû se fier à sa première impression et le renvoyer d'où il venait dès qu'elle l'avait vu.

Maintenant, il ne lui restait plus qu'à jouer le jeu.

— Venez, je vais vous faire visiter.

Comment parvenait-elle à sourire ? Faye ne le savait pas elle-même. D'un geste de la main, elle leur indiqua la serre. Elle avait l'impression d'être dans un état de transe. Tout ce qui l'entourait baignait dans une atmosphère d'irréalité. Plus rien n'existait en dehors du regard de Hugh, vrillé sur elle, et du rire de Caitlin, insouciante de ce qui se tramait autour d'elle.

— Il n'y a aucun visiteur pour l'instant. Si vous voulez voir les papillons, c'est le moment.

Ce fut Beth, cette fois, qui devint blanche comme un linge et ouvrit de grands yeux effarés.

— C'est-à-dire que... le voyage m'a un peu fatiguée, dit-elle en jetant un bref regard à son frère.

Elle était aussi menue que dans le souvenir de Faye, mais ses cheveux avaient foncé. Ils étaient à présent blond doré, de la même nuance que les reflets qui éclairaient le châtain de Hugh.

— Demain matin, alors ? suggéra Faye. Les papillons sont des lève-tôt et il ne fera pas trop chaud ; vous pourrez vous asseoir et les admirer tout à votre aise.

— Merci, c'est très gentil. Je… vais y réfléchir.

Addy, qui s'était lassée de jouer avec Caitlin, s'approcha de Beth, toute guillerette, et se mit à lui renifler le bas de son pantalon. Trottinant derrière la chienne, Caitlin les rejoignit à son tour et étreignit de ses petits bras potelés la jambe de sa mère.

— Bonjour. Je m'appelle Caitlin.

N'osant regarder sa fille, Faye retint son souffle. Elle se méfiait de Hugh, qui épiait ses réactions, à l'affût de la moindre erreur qui pourrait la trahir. Elle craignait d'autre part que Caitlin ne se trouve une ressemblance avec Beth et qu'elle ne le dise, avec l'innocence des enfants de son âge, sapant sans le vouloir l'échafaudage de mensonges que Faye avait patiemment édifié.

Beth se pencha en avant mais ne se baissa pas jusqu'à la fillette.

— Bonjour. Je suis Beth.

En la voyant sourire, de ce même air chaleureux et distant qu'elle avait eu avec elle, Faye sut avec certitude que Beth ne l'avait pas reconnue, et qu'elle ignorait que Caitlin était sa fille. La meilleure actrice du monde n'aurait pu rester de marbre à la vue de son enfant, disparu à sa naissance.

Faye jeta un coup d'œil vers Hugh et vit le doute et la consternation se peindre fugacement sur son visage. Avait-il eu la même pensée que Faye ? Lui semblait-il impossible, à lui aussi, que Beth ne puisse pas ne pas reconnaître sa propre fille ? L'absence de réaction de sa sœur remettait-elle en doute ses convictions ?

— Ça, c'est mon chien, dit fièrement Caitlin en montrant Addy. Faites attention, sinon elle va vous renifler le derrière.

— Caitlin ! intervint machinalement Faye.

Le rire de Beth fusa aussi spontanément que la mise en garde de la fillette.

— Je tâcherai de m'en souvenir. C'est un très beau chien.

Beth se pencha pour caresser le museau de la chienne. Une crispation de douleur apparut sur ses traits pâles et tirés et elle perdit légèrement l'équilibre.

— Ça ne va pas ? demanda Hugh en la rattrapant par le coude.

Elle se redressa d'un coup, rougit et fronça les sourcils.

— Ce n'est rien. Juste mon genou qui flanche. Ça arrive encore, de temps en temps. J'aurais dû porter mon appareil, mais je n'avais pas envie d'être questionnée aux contrôles de sécurité de l'aéroport.

— Vous voulez peut-être vous asseoir un instant ? proposa Faye en désignant les chaises de jardin qui leur tendaient les bras, là-bas, sous le chêne.

Elle brûlait de leur fausser compagnie, mais elle devait tenir son rôle jusqu'au bout. Et tâcher de se comporter le plus normalement possible. Au lieu de les chasser de chez elle, et de sa vie, elle allait, bon gré mal gré, jouer les hôtesses attentionnées, tout entière préoccupée du bien-être de ses visiteurs.

— Non, merci. Je crois qu'il vaut mieux que je retourne au cottage.

— Je vais chercher la Chevrolet.

Le visage de Hugh demeurait impénétrable, mais Faye sentait confusément que cet échange ne s'était pas passé comme il l'avait prévu. Comment avait-il bien pu la retrouver ?

Qu'est-ce qui l'avait conduit jusqu'à elle ? Un renseignement glané auprès de Beth ? Ce qui était sûr, en tout cas, c'était que jamais elle ne s'aviserait de le lui demander.

Et que plus jamais elle n'oserait l'affronter en tête à tête. Car elle n'était pas stupide au point de croire qu'il allait en rester là. A la première occasion, il lui ferait part de ses convictions et porterait contre elle les pires accusations. Or Faye ne se sentait pas la force de lui mentir.

Il faisait à peine jour. Le soleil commençait tout juste à percer, par-delà les champs de blé ondoyants, mais Beth était déjà attablée devant un bol de céréales et un verre de jus d'orange.

— Je me lève tôt, en ce moment, dit-elle d'un ton pour le moins évasif.

Elle avait les yeux légèrement cernés, mais pas la tête de quelqu'un qui a passé la nuit à se tourner et se retourner dans son lit, comme cela avait été son cas à lui.

Il se garda bien d'insister. Il ne savait pas trop comment les choses allaient se passer, maintenant que Beth était à la Ferme, et commençait à regretter d'avoir agi sur un coup de tête. Hier, déjà, ils avaient frôlé la catastrophe. Dieu seul savait ce que leur réservait la présente journée. Les ingénieurs ne devraient jamais, au grand jamais, céder à leurs impulsions.

— J'ai préparé du café, dit Beth en tendant sa cuiller vers la cafetière. C'est peut-être la seule chose dans cette maison qui ne soit pas d'époque. Je n'ai eu qu'à appuyer sur un bouton, alors que je me réjouissais déjà à l'idée de faire passer le café dans un pot en émail, comme ceux qu'on voit dans les spots publicitaires de Maxwell.

— Du moment que j'ai mon café, peu m'importe la manière dont tu l'as préparé.

Le linoléum était froid sous ses pieds, mais la journée s'annonçait de nouveau chaude et humide.

— Je crois que tu en as bien besoin, déclara Beth en laissant tomber sa cuiller dans son bol vide. Tu as bougé toute la nuit. Ce sont les soucis qui t'empêchent de dormir ?

— Non, c'est juste que je n'ai pas l'habitude des matelas en crin.

La gêne occasionnée par le matelas n'était rien en regard de la terrible déconvenue à laquelle il avait dû faire face lorsqu'il avait présenté Faye à Beth. Tout au fond de lui, il avait toujours mis en doute le pronostic des médecins, et cru que Beth se souviendrait au moins partiellement de ce qui s'était passé, une fois qu'elle verrait la femme qui l'avait aidée à accoucher. Cependant, en dépit de toutes les questions qu'il se posait, il restait persuadé que Caitlin était la fille de Beth.

Beth se leva pour aller rincer dans l'évier son bol et son verre. Elle portait un pyjama de flanelle trop chaud pour la saison. Exhiber ses cicatrices lui était difficile. Quatre interventions chirurgicales et onze broches lui avaient permis de recouvrer l'usage de sa jambe. Elle avait de la chance de pouvoir encore marcher. Encore que la chance eût joué dans sa guérison un rôle certainement moins important que sa persévérance, songea Hugh non sans fierté. Elle s'était battue pour en arriver là.

— Qu'as-tu envie de faire, aujourd'hui ? demanda-t-il.

La main qui tenait le bol sous le jet d'eau chaude se figea.

— Je... préférerais attendre encore un peu avant de visiter la serre.

— Tu as encore rêvé de papillons ? demanda Hugh plus vivement qu'il n'aurait dû.

Elle se retourna vers lui et le regarda d'une drôle de façon. L'intérêt que Hugh portait à la question ne lui avait pas échappé.

— Non. En fait, je ne me rappelle pas avoir rêvé…

Que fallait-il comprendre ? Hugh ne savait trop quoi en penser, mais il était soulagé de savoir que l'expérience tentée la veille n'avait pas traumatisé Beth. Jusqu'à ce qu'il trouve le courage de lui dire pourquoi il l'avait fait venir, il préférait, cependant, qu'elle ait le moins de contacts possible avec Faye Carson. S'il ignorait encore comment il allait s'y prendre pour la mettre au courant, il savait, en revanche, que cette conversation, pour le moins délicate, ne pouvait avoir lieu à la Ferme.

— Nous pourrions aller nous balader proposa-t-il. Il y a deux ou trois antiquaires, dans la région, et un marché de pays, où l'on devrait trouver des fraises.

— Tu as horreur de faire les brocantes.

Contrairement à elle, qui pouvait passer des heures à examiner les fonds de boutique des antiquaires.

— Que ne ferais-je pas pour toi ? Je suis prêt à affronter la poussière et la rouille de tous les magasins de vieilleries que nous rencontrerons dans un rayon de quatre-vingts kilomètres.

— Super ! Je file prendre ma douche ; j'en ai pour dix minutes.

Il affronterait sans broncher les odeurs de renfermé de toutes les brocantes du monde pour la voir sourire comme ça. Puisqu'ils allaient passer la journée ensemble, il trouverait un moyen d'amener la conversation sur le bébé disparu. Après quoi, de retour à la Ferme, il endosserait sa cuirasse et partirait en quête de Faye Carson avec qui il était bien décidé à s'expliquer.

La cuirasse était indispensable, car selon toute vraisemblance, il s'était fait de la propriétaire des lieux une ennemie jurée. A la lueur farouche qu'il avait vue s'allumer dans son regard, hier, et à la manière dont ses mains s'étaient crispées sur la branche qu'elle tenait, il avait compris qu'elle lui livrerait un combat sans merci pour garder ce qu'elle estimait lui appartenir.

Son biper se déclencha. Il le ramassa sur le comptoir.

— Zut ! C'est Higgins qui m'appelle du chantier.

Il pianota un numéro sur son téléphone portable et entendit, moins de quinze secondes plus tard, la voix quasiment hystérique du chef de chantier. Des inspecteurs du ministère de l'Environnement allaient arriver d'une minute à l'autre, et sa secrétaire ne lui avait pas fait la commission, la veille au soir. Hugh avait intérêt à se ramener à Cincinnati le plus vite possible, ou ça irait très mal pour lui.

— Pas moyen d'y échapper : il allait devoir passer la journée sur le chantier. Qu'à cela ne tienne : il emmènerait Beth avec lui.

Mais quand elle reparut, toute printanière dans son pantalon de coton blanc et son petit haut jaune, et qu'il lui eut expliqué la situation, elle refusa tout net de l'accompagner.

— Après le voyage d'hier, j'ai plutôt envie de me dégourdir les jambes. Je crois que je vais louer un vélo et partir me balader.

— Louer un vélo ?

— Oui, à Faye. Depuis combien de temps es-tu ici ? Ne me dis pas que tu n'as pas vu l'affiche, sur le placard ?

Elle noua en turban autour de sa tête la serviette-éponge qu'elle tenait à la main et alla poser un index réprobateur sur le bout de papier scotché sur le côté du placard.

— Location de bicyclettes. C'est écrit là, noir sur blanc ! Il existe même une piste cyclable. Elle commence tout près d'ici, dans le parc qui se trouve en bas de la route. Je demanderai à Faye où sont ces brocanteurs. Ça me fera un but, si ce n'est pas trop loin.

Il voulut protester mais elle ne lui en laissa pas le temps.

— Ne me remercie pas, frérot. Je sais à quel point tu détestes traîner dans les boutiques.

— Mais tu viens d'arriver. Et il y a des semaines que je ne t'ai pas vue !

Il s'en voulait de son hypocrisie, mais il fallait absolument qu'il l'éloigne de Faye.

— Tu peux m'inviter à dîner ce soir, si tu as envie de passer un moment avec moi. Ils ont des tartes aux fraises, à la Gerbe d'Or. J'ai vu ça dans leur carte, hier. D'ici là, j'aurai tout le temps de faire connaissance avec Faye.

— Comment cela ?

Il la scruta attentivement, se demandant si elle s'était souvenue de quelque chose, malgré tout. Mais elle avait un petit sourire au coin des lèvres et une étincelle de malice brillait dans ses yeux bleus.

— Je veux voir comment elle est. M'assurer qu'elle est faite pour toi.

— Mais qu'est-ce que tu racontes ?

Prenant des airs de conspiratrice, Beth répondit :

— J'ai comme l'impression que notre hôtesse ne te laisse pas indifférent.

— Où es-tu allée pêcher une idée pareille ?

— Mon petit doigt me dit tout. Et puis, ça saute aux yeux. On le devine rien qu'à la façon dont tu la regardes et dont tu parles d'elle.

— Si je t'ai parlé d'elle, c'était juste pour que tu saches où tu allais mettre les pieds. Rien de plus.

— En ce cas, explique-moi pourquoi les veines de ton cou gonflent, tout d'un coup. Et pourquoi tu deviens tout rouge.

Il l'attrapa à bras-le-corps. Elle avait toujours craint les chatouilles. C'était l'arme absolue. Le seul moyen de lui clouer le bec.

— Arrête ! Je n'ai plus l'âge des chatouilles, protesta-t-elle en se tortillant comme une anguille.

— Tu n'as même pas vingt et un ans.

— Je les aurai le mois prochain.

— Presque une vieillarde ! grommela-t-il, surpris de la facilité avec laquelle il la soulevait.

Elle s'immobilisa et déclara, brusquement sérieuse :

— Il y a des jours où j'ai vraiment l'impression d'être une vieillarde.

Il la reposa doucement par terre.

— Voyons, Beth...

— C'était chaque fois la même chose ; les mots lui manquaient au moment où il avait le plus besoin d'eux.

— Epargne-moi les discours compatissants. Je ne sais pas ce qui m'a pris de sortir ça tout d'un coup. Mais ne t'inquiète pas pour moi, et file vite travailler.

Hugh dut se résigner à partir seul. La partie promettait d'être difficile. Il allait devoir la jouer serrée. Et dire qu'au lieu de commencer par sonder Faye afin d'obtenir d'elle des aveux complets, il avait fait venir Beth, imbécile qu'il était ! Mais il n'avait rien à craindre dans l'immédiat. Faye Carson n'allait pas se vanter de ce qu'elle avait fait. Cela ne risquait pas ! Qu'elle le veuille ou non, elle était devenue son alliée.

92

6.

Cette fois, la sœur de Hugh ne la prit pas par surprise. Faye finissait d'arroser les pétunias, que les habitants de Bartonsville achetaient dans toutes les teintes pour fleurir leurs jardins et leurs balcons lorsque Beth s'approcha d'elle.

Il lui sembla que la jeune femme boitait un peu moins. Ce qui était sûr, en tout cas, c'était que son pantalon allait lui tenir beaucoup trop chaud. On annonçait encore des températures caniculaires pour l'après-midi.

— Bonjour ! dit la jeune fille en enfonçant les mains dans ses poches.

— Bonjour. J'espère que vous avez bien dormi. Avez-vous pris votre petit déjeuner ?

Si elle trouvait le ton avec lequel elle avait prononcé ces mots parfaitement naturel, Faye était nettement moins sûre de son sourire.

— J'ai bien dormi et j'ai déjà déjeuné, répondit Beth avec un sourire dans lequel Faye ne décela aucune fourberie.

Intérieurement, Faye soupira de soulagement. Toute la nuit elle avait repensé à leur entrevue de la veille, mais plus elle y réfléchissait et plus elle était convaincue que Beth ne l'avait pas reconnue. Elle n'en demeurait pas moins très

93

inquiète, car Hugh Damon, lui, savait parfaitement à qui il avait affaire.

— Votre frère n'est pas là ?

— Il a été obligé de filer à Cincinnati, où on l'attendait sur le chantier. D'après ce que j'ai compris, le ministère de l'Environnement doit envoyer des gens pour régler un litige concernant le système d'évacuation des eaux.

Elle haussa les épaules et ajouta :

— Il est parti il y a une heure.

Faye le savait. En allant donner à manger aux chats qui avaient élu domicile dans la grange, elle avait vu la Chevrolet remonter l'allée.

— Vous êtes venue voir les papillons. Vous tombez bien. Je suis justement en train de remplir leurs mangeoires.

Beth reposa brutalement le pot de romarin qu'elle avait pris sur la table pour en humer le parfum.

— A vrai dire, je suis venue pour louer une bicyclette. Il y a bien une piste cyclable, dans le coin ?

— Oui, elle part du parc qui se trouve à environ un kilomètre d'ici et elle suit une ancienne voie ferrée. Un peu plus loin, elle passe au-dessus de la rivière. C'est une très jolie balade.

— J'aimerais beaucoup la faire, s'il n'y a pas trop de raidillons.

— Ça ne monte pas plus que d'ici à la route.

— Alors ça ne devrait pas me poser trop de problèmes.

Elle s'était remise à examiner les pots d'herbes aromatiques, comme pour se donner une contenance. Faye se demanda, en la voyant aussi nerveuse, si des bribes de souvenirs n'étaient pas en train de lui revenir.

— Je n'ai malheureusement pas un grand choix de bicyclettes à vous proposer. Vous devrez vous contenter d'un

94

bon vieux vélo à trois vitesses. Mais pour rouler dans le coin, vous n'avez pas besoin d'un modèle sophistiqué.

Faye arrêta l'arrosage automatique et fit signe à Beth de la suivre jusqu'à la grange, qui faisait également office de hangar à vélos.

— Maman ! cria Caitlin, qui descendait les marches du petit perron, suivie de Dana, la nièce de Steve — une adolescente de treize ans —, et de Peg.

La fillette se précipita vers elle, aussi impatiente de la retrouver que si elles avaient été séparées un mois entier, au lieu d'une petite heure. Peg et Dana arrivèrent à leur tour et saluèrent Beth d'un signe de tête poli.

— J'ai mis mes chaussures Barbie. Regarde.

Caitlin leva maladroitement un pied chaussé d'une sandale rose à paillettes.

— Je suis sic, hein ?

— Très *chic*, rectifia Faye en prenant sa fille dans ses bras. Es-tu prête à partir avec Dana et tante Peg ?

— Je suis allée sur le pot, comme une grande. Et aussi, je me suis lavé les dents.

Caitlin accompagna ses propos d'un grand sourire qui révéla deux rangées de quenottes d'un blanc étincelant.

— C'est très bien, mon chaton.

Nouant les bras autour du cou de Faye, la fillette lança à Beth un bref regard.

— Bonjour, dit-elle, un peu intimidée.

Faye retint son souffle, malade d'angoisse à l'idée que Caitlin se sente attirée par la femme qui lui avait donné la vie.

Le sourire de Beth fut long à venir sur ses lèvres.

— Bonjour, Caitlin. Tu te souviens de moi ? Je suis Beth.

La fillette acquiesça d'un signe de tête puis regarda par-dessus l'épaule de Beth, en direction des cottages.

— Où est Hugh ? J'aime bien Hugh. Pourquoi il ne vient pas ?

— Oh ! s'exclama Beth en riant. J'ai comme l'impression que mon frère a encore fait une nouvelle conquête.

Faye, qui préférait ne pas épiloguer sur le sujet, s'empressa de procéder aux présentations.

— Peg, voici Beth Harden, qui est arrivée hier. Beth, je vous présente ma sœur, Peg Baden, et voici Dana, la nièce de son mari.

— Enchantée, Beth, dit Peg. Et bienvenue dans l'Ohio.

— Merci. Ravie de vous rencontrer.

Dana salua Beth à son tour d'un air un peu embarrassé.

— Eh ben, moi, je vais à l'école de puériculture ! déclara Caitlin en gigotant tellement que Faye fut obligée de la reposer par terre.

Beth haussa les sourcils.

A l'école de puériculture ?

— Caitlin hocha vigoureusement la tête puis tira sur le bas de la jupe en jean de sa tante.

— Allez ! on y va.

— Caitlin, c'est très impoli, intervint Faye en essayant de faire les gros yeux. Quand les adultes parlent, tu dois attendre sagement qu'ils aient fini. Si tu continues, je te garde à la maison.

— Dana rédige un mémoire sur l'acquisition de la propreté chez les tout-petits afin d'obtenir son brevet d'aptitude aux fonctions de baby-sitter, expliqua Peg. Les enfants de deux ans et demi qui sont déjà propres sont très recherchés.

Dana hocha la tête.

96

— Brittany Weisman ne peut pas choisir sa petite sœur comme exemple. Elle porte encore des couches et sa mère a décidé d'attendre la fin de l'été pour lui apprendre la propreté.

— Tu auras ton brevet haut la main… si tu supportes Caitlin deux jours d'affilée, déclara Faye, mi-figue mi-raisin.

— Vous allez vous amuser, prédit Beth.

— Viens, Dana ! Viens tante Peg !

Caitlin s'était remise à sauter comme un cabri. Beth semblait très intéressée par ses pitreries, mais aucune émotion particulière ne transparaissait dans son regard ou dans l'expression de son visage.

— Allez, c'est parti ! dit Dana en soulevant la fillette pour la hisser sur ses épaules.

— Hue, dada ! Hue !

— J'ai pensé à prendre sa nouvelle Barbie et sa tasse à bec préférée, dit Peg. J'ai également glissé dans la poche avant de son sac ton numéro de téléphone.

— Tout est dans l'estafette, assura Dana.

Peg roula les yeux.

— De toute évidence, ce n'est pas Caitlin qui appréhende le plus la séparation, fit-elle remarquer.

Faye se sentit rougir. Elle ne voulait pas passer pour une mère poule, mais aujourd'hui, elle avait vraiment du mal à laisser partir Caitlin. Si elle avait pu, elle l'aurait cachée quelque part, dans une chambre secrète dont elle aurait dissimulé la clé.

— Il faut qu'on y aille, maintenant, dit Peg. Steve garde les garçons, mais il a du travail et doit m'attendre avec impatience. J'ai été contente de faire votre connaissance, Beth.

Faye pria Beth de l'excuser un instant et raccompagna sa sœur jusqu'à l'estafette.

— Quelque chose ne va pas ? demanda Peg, tandis que Faye installait Caitlin sur son siège, à l'arrière du véhicule.

Tout occupée à attacher la fillette, Faye se garda bien de lever la tête.

— Non, rien.

Elle savait cependant que sa sœur n'était pas dupe. Peg n'avait que cinq ans de plus qu'elle, mais elle l'avait élevée bien mieux que leur propre mère. Soucieuse de ne pas l'obliger à des cachotteries supplémentaires vis-à-vis de son mari, Faye avait décidé de ne pas dire à Peg qui était Beth. Elle allait devoir prendre sur elle, coûte que coûte.

Peg se hissa derrière le volant pendant qu'à l'arrière, Dana s'asseyait à côté de Caitlin.

— Tu n'as pas l'air dans ton assiette, fit-elle remarquer, à mi-voix en la fixant de ses yeux noisette, emplis de bonté et de sagacité. J'espère que tu n'es pas en train de couver quelque chose.

— Non, ne t'inquiète pas. Depuis quelques nuits, je ne dors pas très bien.

— Fais donc une petite sieste, cet après-midi. Je ne te ramènerai Caitlin qu'après le dîner.

— Mais non, ce n'est pas la peine !

— Puisque je te le propose. Je te promets de ne pas la ramener trop tard. Et d'empêcher les garçons de la gaver de crème glacée.

Caitlin se faisait une fête d'aller avec ses cousins au Dairy Barn, le meilleur glacier de la ville. Faye pouvait difficilement refuser.

— D'accord, dit-elle avant de se pencher sur Caitlin pour l'embrasser sur la joue.

Elle regarda l'estafette s'en aller et fit au revoir à Caitlin, qui agitait frénétiquement sa menotte.

Beth avait sorti une bicyclette de la grange.

— Vous voulez la caution ? demanda-t-elle en tirant de sa poche des billets qu'elle tendit à Faye.

— Laissez ; ce n'est pas la peine. La bicyclette est à votre disposition.

— A ce compte-là, vous n'allez pas faire beaucoup d'affaires !

— Je ne suis pas à quelques dollars près. Les vélos sont gratuits pour les gens qui restent plusieurs nuits. Mais il faut que je vous fasse signer une décharge. Ma compagnie d'assurances est très stricte sur ce point.

— Pas de problèmes.

Beth cala la bicyclette contre un poteau et suivit Faye jusqu'à la serre.

— Vous pouvez visiter la réserve quand vous voulez, dit Faye en tendant à Beth le formulaire à signer. Mais si ça vous dit, on peut y aller maintenant. Les papillons sont toujours plus actifs quand il fait grand soleil.

Beth secoua la tête et répondit vivement :

— Remettons la visite à demain, si ça ne vous ennuie pas. Ce matin, j'ai vraiment envie d'aller me balader.

— Comme vous voudrez.

De toute évidence, Beth n'aimait pas les papillons. Faye la trouvait cependant très sympathique. *Trop* sympathique. Mieux valait rester sur ses gardes.

Comme pour lui donner raison, Beth déclara tout de go :

— Votre petite fille est adorable. J'aimerais bien avoir sa couleur de cheveux.

— Vous êtes aussi blonde qu'elle, balbutia Faye en priant le ciel pour que Beth ne s'aperçoive pas du tremblement de sa voix.

— Je l'ai été. Mais maintenant, j'ai recours à la teinture. Pour mes cils et mes sourcils aussi. Ceux de votre petite fille sont magnifiques. Elle a de la chance, pour une blonde, d'avoir des cils et des sourcils foncés.

— Elle... tient ça de son père.

Jamie était blond, avec des cils et des sourcils bruns qui donnaient de la profondeur à son regard. Faye s'en souvenait parfaitement, mais qu'en était-il de Beth ? Le père de son enfant était-il également passé aux oubliettes ?

— Quelle chance ! répéta la jeune fille. Après mon accident, mes cheveux ont foncé, mais pas mes cils et mes sourcils. Ça faisait vraiment bizarre. Encore que les six premiers mois, je n'étais pas à même de voir la tête que j'avais. Je délirais sans arrêt.

Elle s'interrompit tout net et reposa avec précaution le colibri en résine qu'elle tripotait distraitement.

— Je vous prie de m'excuser. Vous n'avez probablement pas envie d'entendre mes histoires.

— Détrompez-vous. Je suis... infirmière et donc bien placée pour savoir ce qu'est une lésion cérébrale. Si vous avez envie d'en parler, ne vous gênez surtout pas.

— Merci. En général, j'essaie de ne plus y penser. Mais... Ça va peut-être vous paraître idiot, dit-elle en haussant les épaules, mais c'est la première fois que je me trouve à proximité du lieu de l'accident. J'ai eu la frousse, quand j'ai vu les panneaux sur l'autoroute.

— Où l'accident a-t-il eu lieu ?

Dans un bourg de l'Indiana. A environ cent cinquante kilomètres d'ici. Un bled dont vous n'avez sans doute jamais entendu parler.

— C'est fort possible. Je suis venue m'installer ici il y a trois ans, après la mort de mon mari. Vous... étiez seule ?

— J'étais avec mon petit ami. C'est lui qui conduisait. Il y a eu une tempête de glace.

100

Faye l'écoutait sans broncher. Elle sentit pourtant qu'il fallait qu'elle parle.

— Caitlin est née pendant une tempête de glace. J'étais moi-même bloquée ici.

— Beth devint tout à coup très pâle.

— C'était quand ?

Il était trop tard pour faire machine arrière. Faye fut bien obligée de répondre.

— Cela fera trois ans en novembre.

— Je… ne m'étais pas trompée… en supposant que… votre petite fille devait avoir… dans les deux ans et demi.

Les mots venaient difficilement. Beth semblait bouleversée.

— Oui, c'est bien cela.

— C'est à ce moment-là qu'a eu lieu mon accident.

— De Chicago à Cleveland, la tempête a frappé trois Etats et occasionné de multiples dégâts. Caitlin et moi sommes restées bloquées ici pendant plusieurs jours.

Le cœur battant à tout rompre, Faye s'attendait que Beth lui demande la date de naissance de Caitlin, mais à son grand soulagement elle ne lui posa pas la question. Il devenait urgent de changer de sujet, songea-t-elle en faisant mine de ranger des papiers sur son comptoir. Mais elle ne retrouverait peut-être pas de sitôt l'occasion de poser à Beth toutes les questions qu'elle voulait, sans avoir le regard de Hugh rivé sur elle.

— A l'époque, vous viviez dans l'Indiana, votre frère et vous ? demanda Faye, tout en sachant qu'à la questionner sur son passé, elle risquait de faire resurgir dans sa mémoire les événements qu'elle avait oubliés.

— Non, j'habitais à Boston, avec mon père et ma belle-mère. Hugh vivait à l'étranger. Mon petit ami a été tué sur le coup. Dans un carambolage causé par un poids lourd dont la remorque s'est mise en travers de la route. Nous… nous étions enfuis de chez nos parents. En fait, c'était surtout les siens que nous cherchions à fuir.

Elle avait prononcé ces mots avec hargne, mais son ton hésitant trahissait son anxiété. Elle émit un rire qui sonnait terriblement faux.

— C'est encore eux que je fuis aujourd'hui en venant me réfugier ici. Ils n'arrêtent pas de me harceler avec… des choses dont je ne me souviens pas.

— Je suis désolée, murmura Faye avant de se baisser derrière son comptoir sous prétexte de chercher quelque chose dans le réfrigérateur de bar.

Elle jouait avec le feu, car sans être spécialiste des problèmes d'amnésie, elle savait qu'en ce domaine, on n'était jamais sûr de rien, et qu'un simple détail pouvait permettre à Beth de recouvrer la mémoire.

Elle posa maladroitement sur le comptoir une assiette contenant des tranches de pastèque et d'orange. Ses mains tremblaient tellement qu'elle n'était pas maîtresse de ses gestes. Puis, les paumes moites de sueur, elle s'empara du couteau à trancher et prit la boîte de pics de bois qu'elle utilisait pour confectionner ses brochettes.

— Que faites-vous ? demanda Beth, intriguée par son manège.

— Je vais donner à manger aux papillons. Ils adorent les fruits. Et plus particulièrement la pastèque.

— Peut-être parce que la saveur de la pastèque est proche de celle du nectar ?

— C'est possible. Mais du nectar, ils peuvent en butiner à satiété. Non seulement je cultive des fleurs qui en regorgent, mais en plus, je leur en distribue sous forme de complément alimentaire.

Sous le regard attentif de Beth, Faye découpa les fruits en morceaux qu'elle enfila sur les brochettes, puis elle piqua celles-ci sur une grille, de manière à rendre les fruits plus accessibles aux papillons.

— Les papillons se servent de leurs antennes pour entendre et des extrémités de leurs pattes pour goûter, déclara Beth d'un ton docte.

— Absolument. Je fais toujours rire les petits écoliers qui viennent visiter la réserve quand je leur dis que s'ils étaient des papillons, ils devraient tremper leurs doigts de pied dans leur glace au chocolat pour en connaître le goût.

— C'est bizarre que je me souvienne de ces choses-là et pas des autres, murmura la jeune fille. Je voulais être entomologiste... avant l'accident. Des bribes de ce que je savais me reviennent à la mémoire à tout bout de champ. Mais je n'arrive pas...

A me rappeler ce qui est arrivé à mon bébé, compléta mentalement Faye, terrifiée à l'idée que Beth termine sa phrase.

— Des pans entiers des mois les plus importants de ma vie semblent perdus à tout jamais. Pardonnez-moi, ajouta la jeune fille après un court silence. Je n'aurais pas dû vous raconter tout ça. Je ne sais pas ce qui m'a pris. Je parle rarement de l'accident. Et je n'ai pas l'habitude de m'épancher comme je viens de le faire. Surtout...

— Surtout avec une étrangère ? compléta Faye un peu honteuse de se montrer aussi agressive.

— J'allais dire avec quelqu'un que je connais depuis peu. *Etrangère* est un mot si dur.

— Oui, c'est un mot terrible, n'est-ce pas ?

Beth avait l'air si déconcerté et mal dans sa peau que Faye se fit l'effet d'être un bourreau. Mais elle n'était pas un monstre qui prenait plaisir à torturer des êtres faibles ;

elle n'était qu'une mère paniquée à l'idée qu'on puisse lui reprendre son enfant.

— Mais je ne pense pas non plus que nous soyons encore des étrangères l'une pour l'autre. Voulez-vous m'accompagner ? Je vais nourrir les papillons.

La réponse ne se fit pas attendre, toujours aussi nette et catégorique.

— Non, je crois que je vais me mettre en route sans plus tarder. La température grimpe de minute en minute. Par où dois-je passer pour aller à ce parc ?

— Quand vous aurez rejoint la route, tournez à droite après les cottages. Vous allez tomber sur le cimetière. Au pied de la colline, un sentier part sur la droite. Le parc se trouve au bout. A travers champs, c'est à moins d'un kilomètre d'ici, mais on ne peut pas le voir à cause des arbres qui longent le ruisseau. Vous ne pouvez pas le manquer. D'ailleurs, il y a un panneau. Le plan d'eau, connu depuis toujours comme étant l'étang des Carson, a été rebaptisé par la municipalité et s'appelle désormais Sylvan Lake.

— A droite, récapitula la jeune fille. Jusqu'au cimetière. Puis je prends le sentier au pied de la colline. Sylvan Lake sera indiqué.

Il y avait un tel désarroi dans ses grands yeux bleus que Faye se demanda si elle faisait bien de la laisser partir comme ça.

— Que se passe-t-il, Beth ? demanda-t-elle malgré elle.

— Je... je sais que c'est idiot, mais j'ai peur des papillons. Au point d'en rêver la nuit. Dans mon cauchemar, il fait froid et j'ai mal. J'ai très peur, aussi. Il y a des milliers de papillons... qui tombent dans la neige et se transforment en gouttes de sang...

Elle s'interrompit brusquement, hésitante, ne sachant si elle devait vider son sac jusqu'au bout ou tenir sa langue.

— Je vous avais prévenue, dit-elle en haussant les épaules. Tout cela est tellement bizarre. Je ne souhaite à personne de devenir amnésique à la suite d'un accident de voiture.

— Beth ? appela Faye au moment où la jeune fille tournait les talons.

— Ne vous inquiétez pas pour moi. Je bégaie et dis souvent un mot pour un autre, mais je ne suis pas folle, même si je jacasse sans arrêt. Il faut aussi que vous sachiez que ce que j'ai dit tout à l'heure, au sujet de mon frère et de ses conquêtes féminines, était juste une plaisanterie. En fait, il n'est du tout comme ça.

— Pardon ? dit Faye, qui n'était pas sûre d'avoir tout saisi.

— Vous savez, quand Caitlin a réclamé Hugh. J'ai dit qu'il était un bourreau des cœurs. C'est vrai, mais il ne fait rien pour. Je parie même que depuis mon accident, il n'a pas eu une seule petite amie. Je ne voudrais pas que vous ayez une mauvaise opinion de lui.

— Oh, mais votre frère… a toujours été charmant. Je n'ai vraiment rien à lui reprocher.

— C'est quelqu'un de bien.

— J'en suis sûre, dit Faye en chassant d'un revers de main une mouche attirée par les fruits.

— Je vous laisse à vos occupations, dit Beth avant de s'éloigner.

Elle avait atteint la porte de la serre lorsque Faye l'interpella de nouveau. Elle se retourna et Faye fut frappée par son air perdu, en contradiction totale avec l'arrogance qu'elle affichait généralement.

— Bonne promenade.

Beth la fixa longuement, à tel point que Faye fut tentée de détourner les yeux, tant elle craignait que la jeune fille ne perce ses secrets.

— Merci, dit-elle en ébauchant un sourire. J'espère qu'elle sera bonne.

Il n'était pas encore 10 heures mais il faisait déjà aussi chaud qu'à Houston en plein été. L'air était cependant moins humide. Du moins pour l'instant. Beth appuya la bicyclette contre la grille en fer forgé du cimetière et regarda en direction de la Ferme.

Elle parlait souvent toute seule, et cela depuis bien avant l'accident. Quand elle était petite, Hugh la taquinait à ce sujet et faisait semblant de chercher son interlocuteur dans toute la pièce.

— Tu as beau dire, Hugh, mais je crois que je suis bel et bien en train de perdre la tête !

Ses mains tremblaient et des taches noires se mirent à danser devant ses yeux. Son médecin la tancerait de se mettre dans des états pareils. Si elle ne se calmait pas, Hugh, à son retour, lui ferait prendre un sédatif et la nuit prochaine, elle serait de nouveau en proie à ces horribles cauchemars.

Il fallait à tout prix qu'elle se change les idées. Un peu d'exercice lui ferait du bien. Dès qu'elle aurait trouvé la piste cyclable, elle pédalerait aussi vite et aussi longtemps que sa patte folle le lui permettrait. Inspirant un grand coup pour se donner du courage, Beth enfourcha son vélo et descendit en roue libre jusqu'en bas de la colline. Elle n'eut aucun mal à trouver le sentier conduisant au parc.

Il montait légèrement et contournait un bosquet de grands chênes et d'érables pour finalement déboucher sur un petit

106

parking. La piste partait de là. Long ruban d'asphalte blanc qui courait le long des arbres et des buissons de sumacs, elle était facilement repérable. Une seule voiture stationnait sur le parking : une Buick qui avait vu de meilleurs jours et devait avoir à peu près son âge.

Avant de se lancer à l'assaut de la piste, Beth décida d'aller faire un tour dans le parc, de l'autre côté du talus. Avec un peu de chance, elle trouverait une fontaine ou un robinet. Elle était partie comme une voleuse, en laissant au cottage la bouteille d'eau qu'elle avait préparée. Tant pis pour elle ! Elle n'allait pas pour autant renoncer à sa petite virée et rentrer s'enfermer entre quatre murs.

Elle atteignit le haut du talus, un peu essoufflée d'avoir poussé son vélo le long de la rampe, et contempla la prairie qui s'étendait devant elle. L'étang était tout petit, étroit à une extrémité et de forme arrondie à l'autre. Un ravissant pont en dos d'âne enjambait un ruisseau marécageux, qui constituait la partie étroite du plan d'eau. Un chemin conduisait à un abri aménagé pour le pique-nique. Il y avait en outre, au bord de l'étang, une aire de jeux pour les enfants comportant des balançoires, un toboggan et une cage à poule de bois.

Une vieille pompe à eau, semblable à celle qu'elle avait vue dans la cour de Faye, trônait devant l'abri. Beth commençait à descendre dans cette direction en poussant son vélo devant elle lorsqu'une sensation de vertige la submergea. Elle se mit à trembler tandis qu'une désagréable sueur froide lui dégoulinait le long du dos. Le soleil tournoyait dans le ciel et des mouches dansaient de nouveau devant ses yeux. Il lui sembla entendre au loin les pleurs d'un nouveau-né. Non ! songea-t-elle avec effroi. Pas son rêve ! Pas maintenant ! Les cauchemars survenaient d'habitude aux heures les plus sombres, les plus solitaires de la nuit. Pas en plein jour !

107

Beth sentit l'étau de la panique lui comprimer la poitrine, lui couper le souffle.

— Je suis restée trop longtemps au soleil, dit-elle à voix haute pour se rassurer. Ou bien j'ai de la fièvre.

Mais elle n'avait pas l'impression d'avoir attrapé une insolation et elle ne se sentait pas malade. Sa sensation de vertige était due à l'attraction étrange que semblait exercer sur elle l'abri de pierre. Cet endroit l'attirait inexplicablement, et en même temps, il l'effrayait.

— Je suis déjà venue ici, murmura-t-elle.

Mais c'était impossible. Elle n'avait jamais mis les pieds dans l'Ohio, jusqu'à son arrivée, hier. Et son accident avait eu lieu à plus de cent cinquante kilomètres d'ici. La police, les parents de Jamie, Hugh, ils avaient tous essayé de retracer leur itinéraire depuis Boston, espérant retrouver l'endroit où elle avait accouché et probablement laissé son bébé. Mais il n'avait jamais été question de Bartonsville dans l'Ohio.

Cet endroit devait lui rappeler quelque chose, mais rien qui fût en rapport avec ce qui s'était passé avant l'accident. S'obligeant à inspirer à fond, Beth rouvrit les yeux et essuya les larmes qui ruisselaient sur ses joues.

— Eh ! Attendez !

Beth fit volte-face et vit un homme juché sur un vélo boueux foncer sur elle à toute vitesse. Il pila juste devant elle, lui bloquant le passage. Si c'était un dégénéré ou un pickpocket, elle n'avait aucune chance de lui échapper. Mieux valait rester là et l'affronter courageusement, même si, en réalité, elle n'en menait pas large.

— Vous ne pouvez pas descendre, déclara-t-il, penché sur son guidon, en soufflant comme un bœuf.

Il portait une casquette de base-ball délavée et un bermuda taillé dans un vieux jean usé jusqu'à la trame. Son T-shirt, aux couleurs du club de sport de son collège, ne valait pas mieux. Mais ce qui frappait surtout, c'étaient ses cheveux roux. D'un roux flamboyant, vraiment poil de carotte. Et les taches de rousseur dont il était criblé. Si son allure était peu engageante, son regard semblait, *a priori,* bienveillant. Beth se détendit. Ce garçon n'avait pas vraiment l'air d'un violeur. Il n'était pas si effrayant que ça, finalement. Surtout quand il souriait. Il devait mesurer environs un mètre soixante-dix, pas plus. Mais il avait de larges épaules et des cuisses musclées.

Beth s'empressa de relever les yeux, un peu confuse de s'être laissée aller à détailler sans vergogne son interlocuteur. Cela ne lui ressemblait pas. Les garçons avaient perdu tout attrait à ses yeux.

— J'aimerais boire une gorgée d'eau, dit-elle d'un ton ferme en prenant un air bravache. Je vous prie de vous ôter de mon chemin afin que je puisse aller à la pompe.

— Comme je viens de vous le dire, vous ne *pouvez* pas descendre par là. Vous risqueriez de vous embourber jusqu'aux genoux. Au lieu de dépenser l'argent des contribuables à tort et à travers, en faisant construire ce pont ridicule, par exemple, les grands manitous de la mairie auraient mieux fait de s'occuper de l'allée. C'est un vrai marécage, à cette époque de l'année. Si vous étiez du coin, vous le sauriez.

— Je ne suis pas d'ici, en effet, admit Beth, qui regrettait de s'être montrée aussi peu aimable.

Bien loin de vouloir la violer, ce garçon avait juste voulu lui rendre service. Sans lui, elle fonçait tête baissée dans cet immonde bourbier qu'il lui désignait du doigt. Beth s'était trompée sur toute la ligne, car il n'avait rien non plus d'un adolescent casse-cou, comme elle l'avait cru tout d'abord. Quelque chose dans sa manière de se tenir, dans son regard franc et direct témoignait d'une certaine maturité.

— Vous êtes un homme, lâcha-t-elle étourdiment.

En situation de stress, elle avait tendance à dire la première chose qui lui passait par la tête. C'était terriblement gênant.

Il rit, et le son grave et bien timbré de ce rire amena Beth à réviser de nouveau à la hausse l'âge qu'elle lui donnait.

— Jusqu'à preuve du contraire, oui, sans aucun doute.

— Je... euh, ne voulais pas dire ça. C'est juste que quand je vous ai vu dévaler le talus, je vous ai pris pour un gamin.

Elle se concentrait tellement pour ne pas bafouiller ou dire n'importe quoi qu'elle en avait des sueurs froides. Et l'étrange attraction qu'exerçait sur elle ce maudit abri n'arrangeait rien.

— Je fais moins que mon âge, c'est vrai, dit-il sans paraître le moins du monde vexé. Il y a des jours où ça ne me facilite pas les choses, croyez-moi ! Venez ! On ne peut pas rester comme ça en plein soleil. Je vais vous montrer par où il faut passer pour atteindre la pompe sans s'embourber.

Il retira sa casquette pour s'essuyer le front de son poignet et ajouta :

— N'ayez pas peur. Faye Carson peut répondre de moi. Je m'appelle Kevin Sager et j'enseigne les sciences naturelles au collège de Bartonsville. Il y a une ou deux semaines, j'ai emmené mes élèves visiter la serre.

— Comment avez-vous deviné que j'habitais là-bas ?

Sans trop savoir pourquoi, Beth le suivit docilement le long du talus jusqu'à un étroit sentier qui descendait tout droit vers l'abri. Elle s'efforçait de ne pas regarder le bâtiment. Tout inoffensif qu'il semblait être, elle se serait fait couper en morceaux plutôt que de consentir à y entrer.

La décalcomanie sur le garde-boue de votre bicyclette. Il m'arrive de temps à autre de rencontrer des hôtes de la Ferme des Papillons.

Il coucha son vélo dans l'herbe, juste à côté de la fontaine, et se mit à pomper l'eau d'un bras énergique. Beth restait plantée comme une buse devant la pompe, à regarder l'eau couler.

— Mettez vos mains en coupe, suggéra-t-il au bout d'un moment. Au diable les bonnes manières ! Je meurs de soif, moi aussi, et j'ai oublié ma bouteille à la maison.

— Euh… les mains en coupe ?

L'espace d'un redoutable instant, Beth se sentit complètement inapte. Elle ne comprenait pas ce que l'on attendait d'elle et fixait le jeune homme d'un air hébété en refoulant ses larmes. Il y avait des mois et des mois qu'elle n'avait pas fait ce genre de blocage.

— Vous devez habiter en ville, dit-il en riant de nouveau, inconscient du drame qui se jouait en elle.

— Oui, en effet.

— J'en étais sûr. Regardez, je vais vous montrer.

Il mit ses mains l'une contre l'autre, recueillit de l'eau dans ses paumes et les porta à ses lèvres, buvant à grand bruit.

— Ah ! Je ne connais rien de meilleur, à part peut-être une bière bien fraîche. A votre tour, maintenant.

Il se remit à pomper.

Beth cala le vélo sur sa béquille et s'avança vers la fontaine. Maladroitement, elle rapprocha ses mains et se figea, les yeux rivés sur ses doigts raidis. Il y avait de toute évidence quelque chose qui clochait, mais elle n'arrivait pas à savoir quoi. La panique menaçait de la submerger de nouveau, si elle ne réagissait pas. Respire calmement et concentre-toi ! conseilla une petite voix amie. Beth obtempéra et s'efforça de visualiser le geste qu'elle était censée reproduire. Kevin avait de grandes mains carrées, avec un fin duvet sur les articulations. Elle aimait bien ce prénom. Kevin, ça sonnait bien. Soudain, un déclic se produisit dans son cerveau et, comme mues par une volonté qui leur était propre, ses mains se mirent tout naturellement en coupe.

— Elle est fraîche, dit-elle en portant ses mains à sa bouche.

— Toujours, en cette saison. L'eau de l'étang aussi. Je parie que vous ne vous êtes jamais baignée toute nue. Ça vous dirait de tenter l'expérience ?

— Euh…non.

Il la draguait. Il se comportait avec elle comme avec n'importe quelle fille… normale. Pas comme avec une handicapée. Une malade mentale. Une mère qui avait peut-être du sang sur les mains et se sentait tellement coupable que son esprit avait carrément occulté le souvenir de son bébé.

Effarouchée, Beth fit un pas en arrière et faillit se prendre les pieds dans son vélo. Kevin la rattrapa par le poignet. Il la relâcha tout de suite mais le contact de sa main humide ajouta encore au trouble qu'elle ressentait.

Il cessa brusquement de sourire et les contours de ses mâchoires se firent plus accusés.

— Pardonnez-moi. C'était juste une plaisanterie. Mais on ne taquine pas quelqu'un dont on ne connaît même pas le nom. Comment vous appelez-vous, au fait ?

— Beth Harden.

— Et vous êtes d'où ?

— De Houston, au Texas.

— Oui, je connais.

— Elle sentit que ses joues viraient à l'écarlate.

— Eh bien moi, je suis de notre bonne vieille ville de Bartonsville, dans l'Ohio. Digne représentant de la quatrième génération de Sager à vivre ici. Voilà pour les présentations. Nous avons sacrifié aux convenances, non ?

— Si.

112

— Alors, tout va bien. J'ai une question à vous poser. Mais cette fois, c'est du sérieux. Beth Harden, de Houston dans le Texas, acceptez-vous de venir vous baigner nue dans l'étang ?

7.

Ce n'est que lorsqu'il gara sa Chevy derrière le cottage, en fin d'après-midi, que Hugh se rendit compte à quel point il s'était fait du souci pour Beth tout au long de la journée.

Comme il descendait de son véhicule, il l'aperçut à travers la porte-moustiquaire. En short et débardeur.

— J'ai l'impression qu'une bière bien fraîche serait la bienvenue, dit-elle en lui ouvrant la porte. Dommage que nous n'en ayons pas.

— Maintenant, nous en avons.

Joignant le geste à la parole, Hugh tira du coffre de sa voiture deux sacs de courses et un pack de douze canettes de bière.

— Je me suis arrêté au supermarché pour acheter l'essentiel.

— Comme des tacos et du guacamole ? demanda Beth avec un sourire, en jetant un coup d'œil dans les sacs. Et du fromage fondu dans un flacon-pompe ?

— Eh, mais j'adore ça ! se défendit Hugh.

— C'est horriblement gras. Toutes ces cochonneries vont finir par te boucher les artères.

— Il faut vivre dangereusement.

— Certes, mais on peut éviter de mourir prématurément.

Tendant le cou vers le cottage voisin, Hugh demanda :

— Nous sommes tout seuls, ce soir ?

— Oui. Mais un couple est venu visiter avec l'intention de louer une semaine cet automne. Je n'ai pas cherché à savoir ce qu'ils disaient, mais le type devait être sourd comme un pot. Il parlait tellement fort que Faye doit avoir encore les oreilles qui bourdonnent.

Il la regarda attentivement. Elle avait l'air en forme. Elle ne bafouillait pas et ses mouvements n'étaient ni saccadés ni désordonnés. Si la journée s'était mal passée, il le verrait tout de suite. Le seul fait qu'elle soit en short prouvait que tout allait bien. Les jours de déprime, Beth enfilait le premier jogging qui lui tombait sous la main, sans se préoccuper du temps qu'il faisait, et s'enfermait dans son cocon, comme les papillons qui peuplaient ses cauchemars.

Ce constat le rassura. De toute évidence, les contacts que Beth avaient pu avoir aujourd'hui avec Faye Carson n'avaient provoqué chez elle aucun stress. Devait-il en conclure qu'elle était amnésique au point de ne toujours pas avoir reconnu Faye ? Ou bien qu'il s'était complètement fourvoyé et que, contre toute attente, Caitlin Carson n'était pas l'enfant de Beth ?

Il avait profité de son passage en ville pour se procurer un autre objet de première nécessité.

— Tiens ! dit-il en tirant de sa poche un téléphone portable flambant neuf. J'ai pensé que tu pourrais en avoir besoin pour communiquer avec le monde extérieur.

— Avec le monde extérieur, je ne sais pas, mais je serai ravie de pouvoir communiquer avec toi. Et éventuellement avec la pizzeria qui se trouve à la sortie de l'autoroute. Ils livrent dans un rayon de trente kilomètres et il paraît que leur Quatre saisons spéciale végétarien est extraordinaire.

— Comment le sais-tu ?

— J'ai rencontré un garçon, ce matin. C'est lui qui me l'a dit.

— Tu as rencontré un garçon ? Mais où, dans ce trou perdu ? Et qui ?

C'était la dernière chose à laquelle il s'était attendu. Depuis son accident, Beth n'avait fréquenté aucun garçon. Il avait cru, dans un premier temps, que c'était parce qu'elle préférait se concentrer sur sa rééducation. Puis il avait commencé à penser qu'elle se sentait trop diminuée pour oser se lier avec qui que ce soit. Et il avait décidé d'en discuter avec elle, dès qu'il la sentirait prête à aborder la question. Mais apparemment, elle avait pris les devants.

— J'étais partie me balader à vélo. J'hésite à te dire comment il s'appelle. Tu es *tellement* agressif ! On pourrait presque croire que tu vas aller lui casser la figure.

L'étincelle qu'il avait vue briller dans ses yeux bleus, si mornes d'habitude, s'éteignit peu à peu.

— Excuse-moi. C'est une réaction de grand frère dont j'ai du mal à me défaire.

Il lui tourna le dos et, accroupi devant le réfrigérateur, se mit à ranger les canettes de bière.

— Parle-moi de ce garçon, dit-il sans s'interrompre. Il habite ici ?

Oui. Il s'appelle Kevin Sager. Il est professeur de sciences au collège, mais c'est sa deuxième année, seulement. Tu ne pourras pas dire qu'il est trop vieux pour moi !

Hugh s'apprêtait justement à lui demander l'âge de ce garçon. Il se releva, une canette à la main, qu'il ouvrit d'un geste expert avant de faire signe à Beth de continuer.

— Je l'ai rencontré au parc dont Faye m'a parlé quand elle m'a loué la bicyclette. Je voulais prendre la piste cyclable, et me balader dans la campagne, mais il faisait déjà tellement chaud quand je suis arrivée là-bas que j'ai eu envie

116

de boire une gorgée d'eau. J'étais... toute retournée. Il y a un truc, dans ce parc, qui me fiche la trouille. Le pire, continua-t-elle après une courte hésitation, c'est que je ne sais pas pourquoi. C'est un joli petit parc tout ce qu'il y a de plus tranquille.

Cette remarque aiguisa la curiosité de Hugh, qui s'abstint cependant de tout commentaire. Il savait par expérience que s'il montrait à Beth l'intérêt que suscitait en lui la réaction étrange qu'elle avait eue dans ce parc, elle risquait de se fermer comme une huître.

— Jusque-là, je n'ai rien à redire, déclara-t-il. Ce garçon est à peu près de ton âge. Il gagne sa vie correctement, et il est célibataire. Enfin, j'espère ?

— Il est effectivement célibataire. Du moins, c'est ce qu'il prétend. Pour les références, il m'a dit de m'adresser à Faye. Il a visité la serre avec sa classe, il n'y a pas très longtemps. Il... enfin, Kevin...

Elle leva les bras et se mit à rire.

— Il a surgi tout d'un coup sur son vélo, comme un noble chevalier en armure, et m'a sauvée, au moment où j'allais m'embourber et peut-être me démettre le genou. Il m'a proposé ensuite de me baigner avec lui dans l'étang. Toute nue.

— Quoi ?

Hugh n'avait pu retenir ce cri d'indignation. Il écrasa dans sa main sa canette de bière vide. Il avait besoin d'une bonne douche et d'une autre bière, mais pas avant de savoir qui était exactement cet individu qui manquait de respect à sa sœur.

Le rire de Beth résonna de nouveau, clair et joyeux dans la pièce.

— Ne t'affole pas, dit-elle. Je reconnais que c'était un peu culotté de sa part, mais c'était pour rire, bien sûr.

Tu parles ! songea Hugh. Il n'avait pas besoin de la voir rougir pour deviner que le type avait secrètement espéré qu'elle accepterait. Ou alors, il était un saint.

— Il est vraiment très sympa. Nous sommes revenus ensemble jusqu'ici. Demain, il va venir me chercher pour aller à la rivière. Au lever du soleil, c'est grandiose, d'après ce qu'il m'a dit. Le soleil se lève à quelle heure, au fait ?

— En ce moment, autour de 6 heures.

Elle fronça le nez.

— Hou là, ça va être dur ! Mais je ne vais quand même pas rater un truc pareil, juste pour rester une heure de plus au lit. Tu veux que je te prépare une salade, ou quelque chose ?

— Non, merci. J'ai mangé un hamburger et des frites, en sortant du supermarché.

Il se contenterait pour l'instant de ces maigres informations. Mais en attendant qu'elle veuille bien lui en dire un peu plus sur ce merveilleux professeur, il allait se renseigner de son côté. Il n'avait rien pu faire quand elle avait fugué avec Jamie Sheldon, mais cette fois, il était là et allait la surveiller étroitement. Ce jeune homme avait plutôt intérêt à bien se tenir car Hugh n'avait pas l'intention de le laisser briser le cœur de sa sœur.

— Et si on allait regarder le coucher de soleil ? suggéra-t-elle. On reçoit très mal la télé, aujourd'hui.

Cette remarque déclencha chez Hugh un nouvel accès de mauvaise conscience.

— Beth, tu es vraiment sûre que tu vas te plaire, ici ? Nous devrions peut-être chercher à nous loger plus près du chantier. Je pourrais te louer une voiture, les jours où j'irai travailler. Tu pourras faire les magasins, te distraire…

— Je n'ai pas envie d'aller vivre en ville. Mais pour ce qui est de louer une voiture, je ne dis pas non. Il me semble

118

que j'aurais moins de mal à me remettre à conduire ici, sur les routes de campagne. Qu'en penses-tu ?

Son ton enjoué ne le trompa pas. Beth tenait moins à conduire qu'à rester à la Ferme. Tant mieux pour lui. N'était-il pas déterminé à trouver les réponses aux questions qui le rongeaient comme de l'acide depuis qu'il savait que Beth avait mis au monde un bébé, juste avant l'accident ?

N'avait-il pas décidé de pousser Faye Carson dans ses derniers retranchements ?

Mais Hugh devait bien admettre que s'il souhaitait rester, ce n'était plus seulement dans l'espoir de découvrir la vérité.

Il avait à présent des raisons beaucoup plus personnelles de s'intéresser à Faye Carson.

Il l'aborda alors qu'elle prenait le frais et admirait le clair de lune à l'orée de la prairie. Une brise légère, mais assez forte pour éloigner les moustiques, ridait la surface du lac. Les lucioles, à qui un souffle d'air ne faisait pas peur, donnaient leur ballet nocturne, brillant au-dessus des fleurs des champs aussi intensément que les étoiles dans le ciel.

Elle se retourna vers lui et lui sourit. Il portait un bermuda et un T-shirt blanc. Dans la pénombre, elle avait du mal à distinguer l'expression de son visage, mais elle sentit son regard posé sur elle.

— Cette brise est très agréable, dit-il. Pour une fois qu'il n'y a pas de moustiques et que le ciel est entièrement dégagé, vous avez raison d'en profiter.

Tandis qu'il levait les yeux vers le mince croissant de lune, Faye, les coudes appuyés sur la clôture, contemplait la Grande Ourse, juste au-dessus de sa tête. Pour ne pas se laisser captiver par le charme envoûtant de cette voix de basse, si particulière, elle essaya de se concentrer sur le tracé de l'étoile. Hugh était son ennemi, il ne fallait pas qu'elle l'oublie.

— Caitlin est au lit ?

Elle fit brusquement volte-face. Cette question anodine était lourde de sous-entendus. Car ils savaient l'un comme l'autre que Hugh n'était pas venu simplement pour lui faire un brin de causette.

— Elle s'est beaucoup dépensée, aujourd'hui. A tel point qu'elle a failli s'endormir sur ses spaghettis.

Machinalement, elle glissa une main dans la poche de sa robe et vérifia la présence du baby-phone relié à la chambre de la fillette.

— Ma sœur m'a raconté. Elle est allée à l'école de puériculture, si j'ai bien compris.

Oui, et elle a adoré. Elle a été admirée et chouchoutée comme une vraie star. Elle a hâte d'être à demain. Je parie qu'elle sera debout aux aurores.

— Elle est adorable.

— Caitlin est toute ma vie, déclara Faye à brûle-pourpoint.

Il ne réagit pas, ne sauta pas sur l'occasion qu'elle lui avait offerte de déclencher les hostilités. Sauter était bien le mot, car il lui faisait vraiment l'effet d'un dangereux prédateur prêt à bondir sur sa proie, toutes griffes dehors.

Elle attendit, sur le qui-vive, mais contre toute attente, il changea de sujet.

— Ma sœur aussi a eu une journée passionnante, dit-il en posant ses mains sur la clôture.

Ses mains puissantes dont Faye rêvait qu'elles s'accrochaient à ses hanches, qu'elles remontaient le long de son dos et glissaient lentement vers ses seins…

120

— Elle a fait une rencontre, continua Hugh sans se douter du tour qu'avaient pris les pensées de son interlocutrice.

— Ah bon ? Mais où ? Elle est allée jusqu'au parc, mais elle en est revenue peu de temps après. J'ai vu le vélo, dans la grange.

— Au parc, justement. Un homme à bicyclette. Il a dit qu'il vous connaissait. Et que vous répondriez de lui.

— Moi ?

Elle ne fréquentait aucun homme, en dehors de Steve, du révérend Kanine et du Dr Elliot.

— Comment s'appelle-t-il ?

— Kevin Sager. Est-il vraiment aussi respectable qu'il le prétend ?

— Kevin Sager ? Je le connais un peu, en effet. Il enseigne les sciences naturelles au collège, et son père est commissaire divisionnaire. Une famille honorable, comme on dit par ici.

— Merci pour tous ces renseignements. Me voilà un peu rassuré. Il y avait longtemps que Beth ne s'était pas intéressée à un garçon.

— Kevin n'est pas un garçon. C'est un homme. Et votre sœur n'est plus une enfant. Je doute qu'elle apprécie beaucoup que vous enquêtiez sur ses amis.

— Beth est excessivement fragile.

Il protégeait sa sœur. Comme Mark, Hugh était un homme d'honneur. Mais il n'en demeurait pas moins son ennemi.

Un ennemi qui n'hésiterait pas à la détruire, le moment venu.

En attendant, il jouait avec ses nerfs, comme un chat avec une souris. Mais il n'allait pas tarder à se lasser de lui faire la conversation. Il exigerait des réponses aux questions qu'il s'apprêtait à lui poser. Des réponses nettes et précises. L'espace d'un court instant, Faye se prit à souhaiter de pouvoir tout lui confier. Elle brûlait de se réfugier dans le cercle de ses bras, de se sentir enfin en sécurité, en paix, ne fût-ce qu'un moment. Elle en avait assez de tout affronter seule.

Mais c'était impossible. Il ne fallait pas y songer. Même pas dans un moment de découragement.

— Il vaudrait mieux que je rentre, dit Faye, de plus en plus mal à l'aise. Je n'aime pas laisser Caitlin seule trop longtemps, même avec le baby-phone dans ma poche.

— Pourquoi ma sœur a-t-elle si peur du parc ? demanda Hugh tout à trac en se plaçant devant elle de manière à lui bloquer le passage.

Comme prise au piège, Faye se raidit. Il se dressait devant elle, silhouette massive et menaçante dans l'obscurité, et elle sentait rivé sur elle son regard implacable.

— Je... je ne sais pas de quoi vous parlez.

Elle respira à fond et lutta contre l'envie de battre en retraite sous l'insistance de son regard.

— Je crois que vous le savez très bien, au contraire. Il y a quelque chose, dans ce parc isolé en bas de la colline, qui l'effraie. Mais quoi ? Je n'ai rien remarqué de particulier. Il y a juste un étang, un abri de pierre et quelques balançoires.

— Oui, rien de plus. Il m'arrive d'y emmener Addy, de temps en temps. On peut y aller à travers bois ; il y a un chemin, au bout du champ.

Un chemin dont vraisemblablement il ignorait encore l'existence. Ses yeux luisaient dans la pénombre, pareils à ceux d'un fauve à l'affût. Elle réprima un frisson.

Un long silence plana, qu'il ne se pressa pas de rompre.

— Vous savez pourquoi je vous pose cette question, n'est-ce pas ?

— Non, je n'en ai pas la moindre idée.

— Beth vous a parlé de son accident, ce matin ?

— Oui, un peu.

Ce n'était pas le moment de raconter n'importe quoi. Il fallait, pour être crédible, coller le plus possible à la vérité. Faye serrait si fort la clôture que des échardes pénétrèrent dans ses paumes.

— Vous a-t-elle parlé du bébé ?

— Non.

Elle avait répondu trop vite, mais elle n'osait pas baisser les yeux. La pénombre jouait en sa faveur. Pas plus qu'elle ne pouvait lire son expression, il ne lirait la sienne.

— Il n'a pas été question d'un… bébé. Elle n'y a même pas fait allusion. Que… que lui est-il arrivé ?

Elle devait montrer un minimum d'intérêt. Mais pas trop non plus. Il fallait rester naturelle.

Hugh ne répondit pas tout de suite. Faye avait l'impression que les battements sourds de son cœur emplissaient le silence de la nuit.

— A quoi bon cette question ? demanda-t-il d'un ton las. Ce qui lui est arrivé, vous le savez déjà !

Tout était dit. Hugh avait enfin formulé l'accusation qu'elle lisait dans ses yeux chaque fois que leurs regards se croisaient. Elle eut un mouvement de recul, mais il fut plus rapide qu'elle et l'encercla de ses bras. Le piège était cette fois bien réel. Elle n'avait aucun moyen d'échapper à Hugh.

— Pourquoi Beth ne supporte-t-elle pas la vue de ce parc ? Elle y est déjà venue, n'est-ce pas ?

— Je ne comprends rien à ce que vous me racontez. Laissez-moi partir.

Elle ne cherchait plus à masquer la peur qui perçait dans sa voix. Coupable ou non de ce dont il l'accusait, n'importe quelle femme, à sa place, aurait paniqué.

— Caitlin est-elle vraiment votre fille, Faye ?

Aucune menace ne sous-tendait cette question. Elle émanait de sa seule volonté de découvrir à tout prix le secret que Faye ne confierait jamais à personne.

Elle s'engouffra dans la porte de sortie qu'il venait de lui ouvrir.

— Bien sûr qu'elle est ma fille. Vous voulez voir son extrait de naissance ?

La peur avait fait place à la colère dans sa voix. Elle n'allait pas se laisser intimider.

— Encore que je n'aie aucune raison de vous le montrer, continua-t-elle sur le même ton. Maintenant, laissez-moi passer !

— Non. Pas avant que vous ayez écouté ce que j'ai à vous dire.

— Je ne peux rien pour vous.

C'était vrai, grand Dieu, et il y avait une telle conviction dans sa voix qu'il parut un instant ébranlé. Mais cela ne dura que le temps d'un battement de cils.

— Je suis convaincu du contraire, affirma-t-il calmement. Je ne cherche pas à vous faire peur, Faye.

Il lui évoquait un grand fauve essayant de convaincre sa future proie qu'il n'était pas plus dangereux qu'un vulgaire chat domestique. A cette nuance près que Faye savait pertinemment à quoi s'en tenir.

— N'empêche que *vous* me faites peur ! Vous tenez des propos incohérents et vous me retenez prisonnière. Vous me menacez.

Elle ne savait pas encore à quelle sauce il comptait la manger. Avait-il l'intention de lui réclamer Caitlin sur-le-champ ? Allait-il exiger d'elle qu'elle avoue tout à Beth et lui rende l'enfant ? Mais sa sœur n'était pas irréprochable. Elle avait abandonné son bébé. La justice ne lui restituerait pas nécessairement Caitlin. Hugh n'avait pas l'air de se rendre compte que celle qui avait le plus à perdre, dans cette affaire, c'était Beth.

Il s'écarta légèrement mais sans la laisser sortir du cercle de ses bras.

— Il y a deux et demi que je remue ciel et terre pour retrouver l'enfant de ma sœur. Un enfant dont elle n'a aucun souvenir. Elle ne se rappelle même pas avoir accouché.

— Amnésie, murmura Faye, machinalement.

Il acquiesça d'un signe de tête.

— Elle a été très gravement blessée dans l'accident. Elle a perdu beaucoup de sang et le traumatisme crânien a provoqué des lésions cérébrales probablement irréversibles. Elle ne se souvient pas de ce qui s'est passé avant l'accident, mais elle fait des cauchemars dans lesquels elle voit de la neige ensanglantée et entend un bébé pleurer.

— C'est épouvantable. Je la plains sincèrement.

Faye n'eut, là encore, ni à se forcer ni à jouer la comédie.

— Il y a aussi des papillons dans ses cauchemars, ajouta Hugh, ses yeux bleus fixant ses iris, comme s'ils cherchaient à pénétrer de force derrière son regard.

Elle ferma les paupières, incapable de supporter une seule seconde de plus ce regard scrutateur qui la mettait à la torture.

— Et c'est pour ça que vous êtes venu, dit-elle d'une voix blanche. A cause des papillons.

Elle revoyait, comme si c'était hier, les yeux de Beth, pleins de peur et de souffrance, fixés sur son pull-over brodé de papillons. Gravés dans la mémoire de la jeune fille, ces

125

papillons l'obsédaient au point de lui donner des cauche-mars. C'était incroyable qu'un détail apparemment aussi insignifiant puisse ainsi bouleverser leurs vies à tous.

— Oui. C'est cet indice qui m'a mis sur la voie. Cet indice que n'ont pas les autres enquêteurs. Car je ne suis pas le seul à vouloir retrouver l'enfant de Beth. En êtes-vous bien consciente, Faye ?

— Pourquoi le serais-je ?

Sa gorge se serra, l'obligeant à déglutir. Hugh venait de lui assèner le coup de grâce. Et elle qui croyait révolue l'époque où elle ne pouvait faire un pas sans regarder constamment par-dessus son épaule, sans trembler chaque fois qu'une voiture débouchait dans l'allée…

— La police de l'Indiana a enquêté pendant des semaines. En pure perte. Elle a élargi les recherches, allant jusqu'à interroger les médecins et les sages-femmes de l'Ohio et du Kentucky, et à contrôler tous les bébés nés dans les soixante-douze heures ayant précédé l'accident — et l'accouchement présumé de Beth.

— Personne n'est rien venu me demander.

— Je doute que la police se soit aventurée aussi loin à l'intérieur des terres. De plus, vous avez déclaré la naissance de Caitlin presque une semaine plus tard. J'ai vérifié.

— Je n'ai pas pu faire autrement. Les routes étaient coupées. Et j'étais seule. Livrée à moi-même.

Sa voix tremblait, et ce n'était pas du chiqué. Elle pani-quait à la seule pensée du vide, du gouffre noir dans lequel elle sombrerait inéluctablement si Caitlin devait lui être un jour enlevée.

— Vous avez laissé entendre que vous n'étiez pas le seul à rechercher… l'enfant de Beth, dit-elle, le cœur battant.

— Les parents de son petit ami enquêtent de leur côté. Depuis le début. Ils ont les moyens de se payer les meilleurs

126

détectives privés. Mais jusque-là, les recherches n'ont rien donné. Il faut dire qu'ils ont fait porter leurs efforts sur un périmètre très restreint. Jamie et Beth ayant réglé tous leurs achats en espèces depuis leur départ de Boston, il n'y a aucune trace écrite susceptible de nous renseigner sur leur périple. Les parents de Jamie pensent qu'ils avaient renoncé à se rendre au Texas, où ils espéraient pouvoir me joindre par l'intermédiaire de mon entreprise, et qu'ils rentraient à Boston. Je suis, quant à moi, convaincu qu'ils revenaient chercher leur bébé. Qu'ils revenaient ici. Les papillons vous ont trahie, même si vous n'avez ouvert la Ferme que l'année suivante. Comment est-ce arrivé, Faye ? Les avez-vous rencontrés par hasard au parc ? Beth était-elle sur le point d'accoucher ? L'avez-vous aidée à mettre au monde son enfant ?

Il brûlait. Il était à deux doigts de découvrir la vérité. Faye avait l'impression qu'un vent glacé soufflait à l'intérieur de sa poitrine, pétrifiant chaque goutte de son sang. Elle repoussa son bras, mais autant essayer de déplacer une montagne.

— J'en ai assez de rester plantée là et de vous entendre m'accuser à tort et à travers !

— Je n'invente rien, Faye. Je ne fais que constater. Vous avez un enfant qui est né le même jour que celui de ma sœur . Vous avez accouché seule, sans personne pour en témoigner. Et vous élevez des papillons.

— Mais comme vous l'avez dit vous-même, je n'ai commencé à élever des papillons qu'après la naissance de Caitlin.

— Certes, mais vous vous intéressiez déjà aux papillons. Votre mari, aussi, à ce qu'il me semble. Il est mort alors qu'il se rendait au Mexique sur le lieu de rassemblement des monarques, à peu près un an avant que ne débute la construction de la serre.

— Comment le savez-vous ?

— Tout le monde le sait, dans le coin.

Personne n'ignorait son histoire, en effet. Elle n'avait aucune raison de cacher les circonstances de la mort de Mark, ou le fait qu'elle était ressortie pratiquement indemne de l'accident. Son seul mensonge consistait à passer sous silence sa fausse couche, et à laisser croire aux gens que leur bébé avait survécu.

— Beth rêve de papillons, de neige et d'un bébé qui pleure. Pourquoi, à votre avis ? Parce que vous lui avez parlé de papillons, pendant son accouchement. C'est bien cela, n'est-ce pas ?

— Je ne sais pas pourquoi elle rêve de papillons, affirma la jeune femme avec toute la conviction dont elle était capable. Mais je ne trouve pas étonnant qu'elle rêve d'un bébé qui pleure, si elle a perdu son enfant. Je réagirais sûrement comme elle, à sa place.

Il ne bougea pas d'un pouce. Ses yeux se firent encore plus perçants, étincelèrent.

— Laissez-moi passer. Il faut que j'aille voir Caitlin.

Cette fois, elle posa les deux mains à plat sur son torse et poussa de toutes ses forces. Il expira bruyamment et fut momentanément déséquilibré. Faye en profita pour s'esquiver mais il la rattrapa par le bras.

— Beth a besoin de savoir ce qu'est devenu son enfant, dit-il posément. Je veux découvrir la vérité ; c'est le moins que je puisse faire pour elle.

— Je n'ai rien à vous dire, répéta Faye sans se démonter. Rien du tout.

— Faye, vous n'avez rien à craindre de moi.

128

Elle l'obligea à lâcher son bras et lui fit face. Un petit rire nerveux, à la limite de l'hystérie, lui échappa.

— Comment voulez-vous que je n'aie pas peur de vous ? Je ne peux qu'avoir peur, quand vous débarquez à la Ferme sous un prétexte fallacieux, quand vous vous renseignez sur moi à mon insu, quand vous interrogez mes amis, quand vous m'accusez d'avoir...

Elle se reprit juste à temps. Elle n'était pas sûre de pouvoir prononcer sans se compromettre des mots que sa mauvaise conscience rendait tabous.

— ... Quand vous prétendez que ma fille est en réalité celle de votre sœur ! Je devrais vous jeter dehors dès ce soir.

— Vous ne pouvez pas me jeter dehors. Ce serait admettre que je dis la vérité.

— Certainement pas ! Ce serait la seule attitude sensée compte tenu des propos que vous me tenez.

Il fondit sur elle de manière imprévisible et elle commença à regretter de ne pas avoir pris ses jambes à son cou. Il la saisit brutalement par les bras et approcha son visage tout près du sien. Elle vit la ligne ferme et menaçante de sa mâchoire, la courbe noble de son nez.

— Je ne suis pas là pour vous menacer ou vous enlever votre fille. Je suis là pour essayer de redonner à ma sœur un peu de joie de vivre. Ne nous obligez pas à partir, Faye. Beth se trouve bien, ici. En seulement deux jours, j'ai vu la différence. Si vous ne le faites pas pour moi, faites-le pour elle. Je vous en prie.

— Qu'attendez-vous de moi, au juste ?

Il était si près qu'elle sentait la chaleur de son corps irradier jusqu'à elle, qu'elle voyait les paillettes dorées qui parsemaient ses iris, qu'elle percevait sa tension dans les mains qui enserraient ses bras. Raide comme un piquet, elle luttait comme une forcenée pour ne pas combler la distance qui les séparait.

— Vous pourriez être son amie, suggéra Hugh.

— Elle ne se souvient de rien, murmura Faye. Il vaudrait mieux pour elle ne pas essayer de lui rafraîchir la mémoire.

C'était un conseil, mais pas seulement un conseil, et Hugh ne s'y trompa pas. Il pinça les lèvres et dit en soupirant :

— S'il faut en passer par là, j'accepte.

Elle aurait préféré ne pas négocier avec lui, mais avaitelle le choix ? Elle n'allait pas porter plainte contre lui, bien sûr.

Il y avait d'autres personnes qui recherchaient Caitlin. Elle ne pouvait se permettre de saccager sa petite vie tranquille à Bartonsville, sous prétexte que les secrets qu'elle y avait soigneusement enfouis risquaient à tout moment d'être mis au jour. Elle devait se plier à ses exigences. Du moins pour l'instant.

— D'accord, concéda-t-elle du bout des lèvres, vous pouvez rester. Mais laissez-moi partir, maintenant.

Il la lâcha et recula d'un pas.

— Merci, Faye.

Il ne lui fit aucune promesse, ne chercha pas à la convaincre qu'elle avait fait le bon choix et ne le regretterait pas. D'ailleurs, elle regrettait déjà. Car Hugh Damon ne renoncerait pas, elle en était convaincue. Faye savait aussi qu'elle devrait rester sur ses gardes, jour et nuit.

Et que jamais, plus jamais, elle ne devait le laisser s'approcher d'elle à plus d'un mètre.

8.

— Qu'as-tu l'intention de faire, cet après-midi ? demanda Beth, trop occupée pour lever le nez.

Assise sur le canapé club du cottage, un genou remonté sous le menton, elle était en train de se vernir les ongles des orteils. Sous prétexte que cet exercice de motricité fine lui avait été conseillé par son kinésithérapeute, Beth se peinturlurait les ongles à tout bout de champ.

— Travailler, répondit Hugh sans détour.

Beth avait passé la semaine à courir de droite et de gauche pour améliorer leur cadre de vie. Des bouquets de fleurs champêtres ornaient le centre de la table et les bords des fenêtres. En compagnie de Kevin, elle avait écumé, trois jours durant, toutes les brocantes de la région, en rapportant des napperons crochetés à la main qu'elle avait artistiquement drapés sur le canapé et les fauteuils. Ayant obtenu de Faye l'autorisation d'accrocher quelques tableaux aux murs, Beth avait jeté son dévolu sur des reproductions de moulins et de granges, peintes au numéro, que, soi-disant, les collectionneurs s'arrachaient. Doucement mais sûrement, leur petit meublé commençait à prendre des allures de bonbonnière.

— Depuis que je suis ici, pas un seul jour tu ne t'es abstenu d'aller au chantier. On est dimanche. Un jour de repos ne te ferait pas de mal.

— Ce n'est pas vraiment le moment. Les choses commencent tout juste à se mettre en place. Il faut que je prévoie la suite.

Beth leva les yeux, le pinceau du vernis coincé entre deux orteils arborant des ongles rose fluo.

— Kevin et moi, nous avons quelque chose de prévu, pour ce soir.

— Je m'en serais douté. Qu'allez-vous faire ? Courir les brocantes ? Conduire dans Cincinnati ?

Elle se hérissa.

— Il faut bien que je m'entraîne ! Il y a plein de jeunes de seize ans qui totalisent bien plus d'heures de conduite que moi.

— Surtout des heures de conduite de nuit...

Assis à la table, Hugh repoussa son ordinateur, posé devant lui, et sourit à la jeune fille.

Elle se leva et s'avança vers lui à pas feutrés. Sans un mot, elle lui passa les bras autour du cou et posa son menton sur le sommet de son crâne. Hugh se figea. Beth était rarement démonstrative.

— Nous ne sommes pas rentrés si tard que ça, dit-elle d'un ton cajoleur. Juste une ou deux fois après minuit. Mon pauvre Hugh. Tu t'ennuies, n'est-ce pas ?

Il émit un grognement impossible à interpréter et referma son ordinateur.

— J'ai passé beaucoup de temps avec Kevin, je le reconnais.

— Dix soirées d'affilée. Mais quelle importance ?

— Je n'aurais jamais pensé que le temps passerait aussi vite, ici.

132

Lui non plus. Mais pas pour les mêmes raisons qu'elle. Il lui avait bien fallu se ranger à l'avis des médecins et admettre que Beth ne recouvrerait pas la mémoire. Elle ne se souvenait toujours pas de Faye Carson. Et Caitlin n'était, à ses yeux, rien de plus qu'une adorable petite fille.

Hugh aurait presque fini par douter de ce dont il était pourtant convaincu, n'eût été la répulsion de Beth pour les papillons et pour le petit parc, où elle avait décidé de ne jamais remettre les pieds. Hugh avait dû, Dieu lui pardonne, l'y amener de force, sous prétexte de voir à quoi ressemblait la piste cyclable. Le visage blanc comme un linge, elle était restée dans la Chevrolet à bouder et à se mordiller la lèvre inférieure — manie qu'elle avait depuis l'enfance. Il avait senti qu'elle l'observait, tandis qu'il explorait l'abri de pierre. De retour dans la voiture, il avait été frappé par la tension qui émanait d'elle. Ce soir-là, elle avait refusé d'aller se baigner avec Kevin dans le lac de la Ferme et s'était réfugiée dans sa chambre. Allongée sur son lit, dans le noir, elle avait écouté, pendant des heures, des disques sur son baladeur.

Hugh s'en était longtemps voulu de l'avoir brusquée, et s'était bien juré de ne plus rien tenter pour solliciter sa mémoire.

— Je regrette, dit-elle, mais aujourd'hui, il est hors de question que tu ailles travailler. Nous allons faire un barbecue géant, avec des hamburgers, des saucisses, des pommes de terre et des milliers d'autres choses.

Il haussa les sourcils.

— Et où ce barbecue géant doit-il avoir lieu ?

— Chez Faye. Ce matin, dans la serre, nous en discutions, Kevin et moi. C'était un peu compliqué. Nous nous demandions s'il valait mieux aller acheter un petit barbecue de camping à charbon, ou bien t'emprunter la Chevrolet pour transporter jusqu'ici le gros barbecue à gaz du père de Kevin. En fin de compte, Faye nous a proposé de prendre le sien. Alors j'ai pensé que la moindre les choses était de les inviter, Caitlin et elle, à se joindre à nous. J'espère que ça ne t'embête pas ?

Sans même attendre une éventuelle objection de sa part, elle enchaîna :

— Mais Kevin a commencé à râler en disant qu'il allait falloir traîner le barbecue jusqu'au cottage et que ce n'était pas une mince affaire. Tant et si bien que finalement, le barbecue va se tenir au bord du lac et que Steve, Peg et leurs enfants sont également de la fête.

Comme il ne réagissait pas, Beth se pencha pour voir la tête qu'il faisait.

— Tu n'as pas l'air enthousiaste, dit-elle. La perspective de passer la soirée avec Kevin ne t'emballe pas plus que ça. Je croyais que tu l'aimais bien, pourtant ?

Elle était visiblement contrariée. Il devina qu'elle cogitait déjà, prête à laisser tomber le garçon dont elle s'était entichée simplement pour faire plaisir à son grand frère, ce tyran domestique.

— J'aime beaucoup Kevin.

Le problème, ce n'était pas Kevin, mais Faye. Hugh s'était engagé à garder ses distances et jusque-là, il n'avait pas manqué à sa parole. Mais en vivant sur sa propriété, il ne pouvait l'éviter tout à fait. Or, à force de côtoyer Faye et Caitlin, il lui venait l'envie d'avoir une vie de famille. Une femme à aimer et à protéger, des enfants à élever. Il s'était même surpris à imaginer un heureux dénouement à cet imbroglio inextricable qu'il avait généré. Un dénouement qui solutionnerait leurs problèmes à tous.

— Bon, alors c'est d'accord, décréta Beth. Et comme je sais que tu aimes bien Faye, il n'y a plus aucun problème.

134

Elle gloussa, un peu gênée.

— J'avais peur que tu… t'opposes à ce que je fréquente Kevin.

Il se tourna vers elle.

— Drôle d'idée ! Pourquoi, diable, m'y serais-je opposé ?

— Je ne sais pas. A cause de… tout ce qui s'est passé, je suppose. De… mes problèmes.

— Ecoute-moi bien, Beth, dit-il en lui soulevant le menton pour l'obliger à le regarder droit dans les yeux. Rien, absolument rien, de ce qui t'est arrivé ne doit t'empêcher de fréquenter Kevin. D'autant plus que c'est un type formidable.

— Tu le trouves vraiment si bien que ça ? demanda-t-elle, l'air soudain triste. Tu ne crois pas qu'il risque de me prendre pour un monstre quand je lui dirai : « Au fait, je n'ai pas seulement perdu mon petit ami dans un accident de voiture. J'ai aussi accouché d'une petite fille, ce jour-là, et je ne sais pas ce que j'en ai fait ? Je n'ai pas la moindre idée de l'endroit où elle se trouve ni de ce qu'elle est devenue ? »

Elle cligna furieusement des paupières pour chasser les larmes qui brillaient dans ses yeux.

— Arrête de dire des bêtises, ordonna Hugh. Je ne pense pas que Kevin te prendra pour un monstre. C'est un garçon sensible et intelligent qui s'intéresse à la femme que tu es maintenant, et non à l'adolescente paumée que tu étais il y a trois ans.

Il espérait de tout cœur ne pas se tromper sur Kevin Sager. Mais si par malheur, Kevin se révélait être un malotru, et qu'il faisait souffrir Beth, il aurait affaire à lui et passerait assurément un sale quart d'heure.

Elle renifla et lui sourit entre ses larmes.

— D'accord. Je vais essayer de suivre tes conseils. Le moment venu, je lui déballerai toute l'histoire. Je verrai bien sa réaction.

— Surtout, Beth, ne te sens pas obligée de lui céder, si tu n'en as pas envie maintenant.

Depuis quelques jours, l'aspect physique de cette relation tracassait Hugh, qui ne savait comment aborder la question avec sa sœur.

Elle ne joua pas les saintes-nitouches et ne fit pas semblant de ne pas comprendre.

— Ne t'en fais pour ça. Kevin n'a pas eu le moindre geste déplacé. Il n'a encore jamais essayé de m'enlever mon soutien-gorge, même quand nous nous embrassions dans la voiture au clair de lune.

Elle avait presque l'air vexé.

— Un point pour lui, fit Hugh.

Elle prit les mains de Hugh dans les siennes.

— Sois tranquille ; je ne referai pas la même bêtise. Il ne me touchera pas avant que tout soit absolument clair entre nous. Nous patienterons le temps qu'il faudra, même si nous brûlons de désir l'un pour l'autre.

Beth n'était pas du genre à se donner au premier venu. Elle avait trop souffert pour jouer avec ses sentiments et avec ceux des autres. Le jour où elle ferait l'amour avec Kevin Sager, elle lui ferait d'elle-même un don total.

— Tu es mordue à ce point ? demanda Hugh.

— Ça se pourrait bien, répondit-elle doucement en souriant.

Elle ne pouvait les voir sans songer à l'énormité de son acte. La culpabilité se répandait en elle, se diffusait dans tous les replis de son être, dans chaque cellule de son corps.

136

Que n'aurait-elle donné pour calmer la tension constante à laquelle elle était soumise ! La peur, l'inquiétude, son sentiment de culpabilité ne lui laissaient point de répit.

Chaque matin, Beth venait la rejoindre dans la serre pour lui donner un coup de main. Peu à peu, elle s'était accaparée les corvées dévolues d'habitude à Dana, la nièce de Steve, qui était partie quelques jours avec son club de base-ball, dont elle était la meilleure gardienne de base.

Faye avait bien essayé d'arguer que les hôtes de la Ferme n'étaient pas censés travailler bénévolement, mais Beth n'avait rien voulu entendre et s'obstinait à épousseter avec zèle les bibelots de la boutique de souvenirs, à soigner et arroser les fleurs en pots et les plantes aromatiques.

Tout en s'activant côte à côte, elles discutaient de toutes sortes de choses, parlant tantôt de littérature et de musique, tantôt de mode, de politique ou de l'actualité internationale. Beth s'intéressait à tout, avide de se mettre au courant, de savoir ce qu'elle avait manqué pendant sa maladie et sa convalescence. Il lui arrivait aussi de ne rien dire pendant de longues minutes et dans ces moments-là, Faye se taisait aussi, car elle craignait qu'une expression, ou même un simple mot, que le germe d'une idée ne fassent resurgir chez Beth le souvenir de la naissance de Caitlin. Cependant, malgré ces silences embarrassants, Faye sentait bien que Beth la considérait comme une amie, et cela ajoutait encore à son fardeau, car elle ne pouvait évidemment pas la payer de retour.

Quand elle en avait fini avec Beth, il fallait encore affronter Hugh et ses regards inquisiteurs, son air indéchiffrable dont on ne savait ce qu'il mijotait. Il fallait rester de glace face à cet homme qui irradiait la force tranquille et la dignité, face à cet homme qui l'attirait comme un aimant.

De toute évidence, une mystérieuse alchimie les poussait l'un vers l'autre. Ils s'évitaient, mais Faye ne parvenait pas à le chasser de ses pensées.

Elle était justement en train de l'observer, tandis qu'il disputait une partie de volley-ball avec Steve, Kevin et Dana, rentrée le matin même. Beth jouait le rôle de l'arbitre et le son de son rire, répercuté par les grands arbres de l'autre côté du lac, s'entendait jusqu'à la route. Jack, Guy et Caitlin, escortés de Addy, se poursuivaient en criant comme des sauvages. Ils se mettaient dans les jambes des joueurs, qui tombaient en voulant les éviter. La partie était animée mais bon enfant, et Faye la suivait avec plaisir… sans pouvoir s'empêcher d'admirer la grâce naturelle de Hugh, sa souplesse et son agilité.

Sans doute son regard s'attarda-t-il trop longtemps sur sa silhouette athlétique car au moment où il s'apprêtait à servir, Hugh jeta un coup d'œil dans sa direction. Elle soutint son regard une fraction de seconde puis elle détourna les yeux tandis qu'un frisson familier lui parcourait l'échine.

Elle prit la Thermos de thé glacé, posé sur le hayon de la camionnette de Steve, et se servit à boire. Puis elle fit quelques pas sur le ponton de bois qui servait tout à la fois d'embarcadère et de plongeoir. Son verre à la main, elle s'assit sur un banc, dos au soleil, pour contempler les champs de blé qui ondulaient à perte de vue.

Quittant sa chaise de jardin, au bord du terrain du jeu, Peg ne tarda pas à venir la rejoindre. Faye se poussa un peu pour lui faire de la place.

— Tu permets que je prenne une gorgée de ton thé ? demanda-t-elle. J'ai laissé mon verre à côté de ma chaise et j'ai la flemme de retourner le chercher.

Faye lui tendit son verre.

138

— Tu n'as pas l'air en forme. Tu n'as pratiquement rien mangé.

Faye avait remarqué que sa sœur manquait d'appétit depuis quelque temps.

— Eh ! C'est moi, d'habitude, qui m'inquiète ! protesta Peg. D'ailleurs, soit dit en passant, tu as toujours des valises sous les yeux.

— Il ne s'agit pas de moi. Je vais tout à fait bien.

— Moi aussi. Mais ça ira encore mieux dans huit mois, ou quelque chose comme ça, déclara Peg avec un sourire malicieux.

— Tu es enceinte !

— Bingo ! Mais c'est tout récent. Les garçons ne sont même pas au courant. Ça va leur paraître tellement long, jusqu'à la naissance…

— Oh, Peg, je suis si contente pour toi !

Faye se félicitait de ne lui avoir rien dit au sujet de Beth, bien que l'envie l'en ait plus d'une fois démangée. Car si les fils de Peg avaient été de beaux bébés pleins de santé, ses grossesses, en revanche, lui avaient causé quelques soucis. Faye ne voulait en aucun cas lui en donner de supplémentaires. Comme elle se penchait en avant pour serrer sa sœur dans ses bras, le ballon de volley passa au-dessus de leurs têtes et atterrit dans le lac avec un grand plouf.

— Admirez, mesdames !

Un bruit de cavalcade sur le ponton mit brutalement fin à leurs effusions. Ebahies, elles virent Kevin piquer une tête dans le lac, ce qui leur valut à toutes les deux d'être copieusement éclaboussées.

— Un homme à la mer ! hurla Guy en sautant à pieds joints dans l'eau, sous les yeux stupéfaits de sa mère et de sa tante qui étaient de plus en plus mouillées.

Son frère, qui arrivait juste derrière, fit une bombe encore plus explosive, qui acheva de tremper les deux femmes. Les garçons, eux, étaient en maillots de bain et portaient des brassards, car ils avaient passé l'après-midi à faire les fous dans le lac.

— Espèces de vauriens ! crachota Peg. Et quand je pense que j'étais en train de me réjouir à l'idée d'en avoir bientôt un troisième !

Steve s'avança vers elles d'un pas nonchalant.

— Félicitations ! s'exclama Faye en pressant affectueusement la grande main calleuse de son beau-frère. Peg vient de m'apprendre la nouvelle.

— Merci, dit-il, son autre main posée sur l'épaule de Peg. Tu es la première à le savoir. Nous n'avons encore rien dit à papa et maman.

— Motus et bouche cousue ! Qu'aimerais-tu avoir, cette fois ? demanda Faye à mi-voix. Une fille ou un garçon ?

— Une fille, répondit Steve sans la moindre hésitation. Aussi adorable que Caitlin.

Touchée par la spontanéité et la sincérité de cette déclaration, Faye sentit sa gorge se serrer.

— Mais si c'est encore un garçon, nous serons contents malgré tout, ajouta Peg en donnant à son mari un petit baiser sur la joue. Il y a peu de chances pour que ce soit une fille. Chez les Baden, il n'y a pratiquement que des garçons.

Beth et Dana arrivèrent à leur tour, suivies de près par Hugh. Les deux filles donnaient la main à Caitlin et la faisaient, à chaque pas, sauter et virevolter dans les airs. Faye n'appréhendait plus de voir Beth s'amuser avec la fillette. Caitlin aimait bien Beth, et Beth avait l'air de bien s'entendre avec sa fille, mais aucun attachement particulier ne semblait les lier l'une à l'autre, pour le plus grand

140

soulagement de Faye. Caitlin se hissa sur le banc et vint s'asseoir sur ses genoux.

— Si on pouvait m'aider à sortir de là, bredouilla Kevin, qui commençait visiblement à en avoir assez de barboter dans le lac.

Steve souleva sa jambe gauche.

— Désolé, je ne suis pas en état. Je me suis esquinté le genou au basket, il y a quelques années.

— Je ne me baigne jamais avant la mi-août. L'eau est trop froide, déclara Peg d'un ton docte.

— Et moi, j'ai Caitlin sur les genoux, dit Faye, qui s'inquiétait surtout pour sa tenue.

Il commençait à faire sombre, Dieu merci. Avec un peu de chance, personne ne s'apercevrait qu'elle ne portait pas de soutien-gorge sous sa robe bain de soleil, dont l'étoffe mouillée dissimulait mal ses mamelons dressés.

— Hugh ? insista Kevin.

— Débrouillez-vous, mon vieux !

Une étrange faiblesse s'insinua en Faye lorsqu'elle entendit le rire de Hugh, si chaleureux. Elle se prit à rêver de pouvoir laisser tomber sa garde. Si seulement elle pouvait cesser de le considérer comme un dangereux prédateur... Mais c'était impossible, et elle le savait.

— Beth, tu ne vas les laisser me noyer ?

Kevin ne courait en fait aucun danger. Bon nageur, il faisait du sur-place tout en repoussant d'une main les garçons, qui le chahutaient à qui mieux mieux. Beth lui rétorqua qu'il s'en sortait très bien tout seul et qu'il n'avait besoin de personne.

Elle était en short et portait un polo aux couleurs de l'équipe de football de Bartonsville, dans le dos duquel le nom de Sager figurait en toutes lettres au-dessus du numéro.

Délavé et élimé au bas des manches, ce polo lui avait de toute évidence été offert par Kevin.

Jack et Guy se mirent à pousser des huées et à beugler, mettant Beth au défi de sauter dans l'eau.

— Vous êtes des méchants garçons ! déclara Caitlin en se pelotonnant contre Faye.

Kevin, résigné, nagea jusqu'au ponton en invectivant les deux garnements toujours accrochés à ses basques. Il sortit un bras de l'eau et saisit la cheville de Beth.

— Aide-moi, Beth. Je n'arrive pas à me débarrasser de ces deux loustics.

Agrippée au garde-fou du ponton, Beth secoua la tête.

— Je n'ai pas de maillot de bain, protesta-t-elle en riant.

— Moi non plus, répliqua Kevin, qui avait plongé tout habillé. Allez, viens ! Tu n'es pas en sucre, insista-t-il en la tirant par la cheville.

— Oh, et puis, pourquoi pas ?

Elle se laissa glisser dans l'eau et disparut une fraction de seconde, avant de refaire surface en poussant un cri aigu.

— L'eau est glaciale !

— J'avais bien dit qu'elle était froide, commenta Peg. Personne ne m'écoute jamais.

— Coulons Beth ! hurla Jack à son frère.

Mais ils n'avaient pas fait un mètre en direction de leur nouvelle victime que Kevin les avait attrapés, l'un après l'autre, et balancés dans la partie la moins profonde du lac.

— Les truites vont se régaler… avec tous ces doigts de pieds à grignoter, lança-t-il avec un rire sardonique.

— Au secours ! crièrent en chœur les garçons avant de se mettre à taper des pieds et des mains sur l'eau pour mettre en fuite d'éventuels assaillants.

142

Prenant Beth par la taille, Kevin la remorqua vers le large.

— Maintenant que j'ai donné de l'occupation aux truites mangeuses d'homme, nous allons enfin pouvoir prendre notre bain de minuit en tête à tête.

— T'es un petit malin, toi ? dit Beth en se laissant entraîner sans protester vers le saule pleureur de la rive opposée.

— Jack ! Guy ! appela Steve depuis le ponton. Il fait presque nuit ; il faut sortir, maintenant !

Les garçons commencèrent par râler, mais lorsque Dana annonça que s'ils ne sortaient pas de l'eau, elle allait manger tous les marshmallows, ils s'éjectèrent hors du lac, comme des missiles Tomahawk, et se ruèrent sur leurs serviettes et leurs baskets.

— Allez Steve ! dit Dana en prenant Caitlin dans ses bras. Le spécialiste de la brochette de marshmallows, c'est incontestablement toi.

Peg et Steve partirent main dans la main, laissant Faye et Hugh seuls sur le ponton.

Faye leva la tête pour contempler les étoiles, comme la dernière fois qu'ils s'étaient trouvés seuls tous les deux.

— La lune éclaire plus que la dernière fois, fit remarquer Hugh, comme s'il avait lu dans ses pensées.

— C'est normal : dans quelques jours, c'est la pleine lune.

Il garda le silence. Un pied sur le banc, la tête appuyée sur son coude, il regardait Kevin et Beth, qui flottaient sous les branches du saule.

— Il est formidable, dit-il enfin. Beth ne pouvait pas mieux tomber. Il a réussi là où j'avais échoué. Figurez-vous que c'est la première fois depuis son accident que je la vois porter un short en public.

— C'est vrai qu'ils forment un beau couple.

— Si Beth est aussi amoureuse qu'elle en a l'air, elle ne devrait pas tarder à lui raconter ce qu'il lui est arrivé.

A ces mots, Faye sentit son sang se glacer dans ses veines.

— Vous voulez parler... de l'accident ?

Elle aurait voulu dire *du bébé*, mais les mots refusèrent de franchir la barrière de ses lèvres.

— De l'accident, du bébé et de tout le reste.

Faye redoutait depuis le début le moment où Beth en arriverait à tenir à Kevin au point de surmonter sa peur d'être rejetée. Cela faisait une personne de plus susceptible de s'apercevoir de l'étrange coïncidence qui voulait que Caitlin et la fille disparue de Beth aient exactement le même âge. Ne souffrant d'aucune lésion cérébrale, Kevin risquait de trouver la coïncidence un peu grosse.

— Je veux qu'elle soit heureuse, déclara Hugh d'un ton grave. On ne peut pas la laisser plus longtemps dans l'ignorance. Il faut lui donner les réponses aux questions qu'elle se pose, et combler les places vides dans son cœur et dans son esprit.

Retenant d'une main les branches du saule sous lesquelles ils s'étaient réfugiés et se croyaient seuls au monde, Kevin étreignait Beth et l'embrassait avec fougue.

Faye joignit les mains devant elle. Le bonheur de Beth était une chose, le sien en était une autre. Elle aurait tout donné, en cet instant, pour qu'un homme la prenne dans ses bras sous les branches d'un saule pleureur, le soir au clair de lune.

— Je veux que Beth sache la vérité, dit Hugh à mi-voix. Vous seule pouvez la lui révéler.

Faye se leva et posa une main sur son bras.

— Vous me demandez d'avouer quelque chose de très grave. En avez-vous conscience ?

144

Tandis qu'elle s'efforçait d'occulter au fin fond de son subconscient la gravité de son acte, Hugh la lui jetait en pleine figure. Mais elle n'arrivait pas à le haïr. Elle s'était, en parfaite connaissance de cause, engagée dans une voie sans issue, une impasse qui ne pouvait que déboucher pour elle sur les pires ennuis.

Il fronça les sourcils.

— Ce que vous me direz restera entre nous trois, assura-t-il. Je ne vous veux aucun mal, Faye.

Elle émit un petit rire de dérision.

— C'est toute mon existence que vous êtes en train de mettre en péril. Ma vie elle-même, s'il devait arriver quelque chose à Caitlin. Et si, comme vous le prétendez, Caitlin n'était pas ma fille mais celle de Beth, sachez que votre sœur serait également condamnée. Car elle aurait abandonné son enfant. Il est très probable que Caitlin nous serait enlevée à tous. Est-ce là ce que vous voulez ?

Il baissa la tête et parut s'absorber dans la contemplation du lac, dont la surface ondoyait sous l'effet de la brise qui lui soulevait les cheveux et caressait la joue de Faye.

— Bien sûr que non. Je veux seulement...

— Vous voulez réparer ce qui ne peut l'être.

Il lui avait pris la main et la tenait fermement dans la sienne, prévenant ainsi toute velléité de fuite. Mais Faye hésitait, ne sachant si elle devait rester ou partir en courant.

— Il faut me faire confiance, Faye.

Il chuchotait presque, de manière à ne pas être entendu de Kevin et Beth, qui revenaient tranquillement vers le ponton.

— Non, dit-elle d'un ton indécis.

Car elle ne demandait pas mieux que de lui faire confiance. Depuis quelques jours, elle devait se faire violence pour ne pas tout lui avouer et se décharger enfin du fardeau que faisait peser sur elle ce secret décidément trop lourd à porter.

Mais elle ne pouvait rien dire à personne. Et surtout pas à lui. Hugh Damon était bien le dernier à qui elle devait se confier. Ce constat la chagrina plus que de raison car, à supposer qu'il lui prenne l'envie d'aimer de nouveau, Hugh était le genre d'homme à qui elle aurait volontiers donné son cœur. S'il n'avait pas été le frère de Beth.

— Non, répéta-t-elle, le cœur battant. C'est impossible. Totalement impossible.

Les phares d'une voiture qui tournaient dans l'allée fendirent la surface du lac.

— Qui cela peut-il être, demanda Beth en se hissant sur le ponton.

Elle tremblait et claquait des dents. Kevin s'empressa d'attraper une serviette sur le banc et de la lui draper autour des épaules.

— C'est sûrement le couple qui a loué le cottage à côté du vôtre, dit Faye qui, mal remise de sa conversation avec Hugh, tremblait presque autant que Beth. Je vous prie de m'excuser ; il faut que j'aille les accueillir.

Elle se dirigea vers la luxueuse berline qui venait de s'arrêter devant la serre. A première vue, elle ne connaissait pas le couple qui attendait à l'intérieur. Mince, mais plus très jeune à en juger par ses cheveux blancs, l'homme portait une chemise blanche à col ouvert. Son épouse était presque aussi grande que lui. La veste de son tailleur pantalon beige était simplement posée sur ses épaules. Elle avait les cheveux aux épaules, apparemment châtain doré. Dans la lumière crue des feux de position, ce n'était pas facile à voir.

— Comment s'appellent-ils ? demanda Beth, qui lui avait emboîté le pas.

146

Un peu surprise, Faye se retourna et s'aperçut que la jeune fille était blanche comme un linge.

— Leur nom est Templeton. Ils ont loué jusqu'à la fin de la semaine.

Beth ouvrit de grands yeux pleins d'effroi.

— Non ! Pas eux ! Je vous en prie, dites-leur que ce n'est pas possible. Dites-leur de s'en aller.

— Mais… je ne peux pas, voyons, bredouilla Faye qui sentait la panique la gagner elle aussi.

En désespoir de cause, elle se tourna vers Hugh, qui les avait rejointes. Le visage dur, froid et impénétrable, il déclara :

— Leur nom n'est pas Templeton, mais Sheldon. Harold et Lorraine Sheldon. Ce sont les parents de Jamie. Je savais bien qu'ils finiraient par retrouver notre trace.

147

9.

Beth reboucha le tube de dentifrice et le reposa sur l'étagère en émail blanc de l'armoire à pharmacie. En refermant la porte, elle examina son reflet dans le miroir. Compte tenu de l'heure, elle n'avait pas trop mauvaise mine. Se lever aux aurores n'était finalement qu'une question d'habitude.

A 6 heures du matin, elle était sûre de ne pas tomber sur les parents de Jamie. Mais c'était à peu près le seul moment de la journée où elle pouvait leur échapper. Beth voyait clair dans leur jeu. Elle savait que les Sheldon ne l'avaient pas traquée jusqu'ici simplement pour s'assurer qu'elle allait bien et que la perspective d'aller consulter une hypnotiseuse ne l'avait pas effrayée au point de lui faire prendre la fuite.

Si elle avait quitté Houston, c'était bien entendu pour se soustraire à ce rendez-vous, mais cela, pour rien au monde Beth ne l'aurait avoué. Elle ne voulait pas faire ce plaisir à Lorraine Sheldon. Et puis, quelles que soient les raisons qui l'avaient poussée à quitter le Texas, elle bénissait le ciel, et remerciait Hugh, de lui avoir fait connaître la Ferme des Papillons. Et Kevin.

Dont elle était en train de tomber irrémédiablement amoureuse.

Ce n'était pas prévu au programme, mais elle était plutôt contente de ce qui lui arrivait.

D'autant plus qu'elle commençait à revivre enfin normalement. Pas une seule fois elle n'avait rêvé de papillons depuis son arrivée, et sa phobie semblait moins vive, même si elle n'avait pas encore pu se résoudre à visiter la serre.

Elle se torturait moins l'esprit, aussi, et avait presque fini par se faire à l'idée que les circonstances de la naissance et de la disparition de sa fille ne lui reviendraient jamais à la mémoire. Non qu'elle eût perdu l'envie de savoir. Bien au contraire. Son cœur saignait souvent en y repensant. Mais elle s'était résignée à vivre dans l'ignorance de cet épisode tragique et si traumatisant.

Et elle avait décidé de tout révéler à Kevin. Elle tenait à ce qu'il sache ce qui lui était arrivé. Et pas seulement parce qu'elle l'avait surpris plus d'une fois à bavarder avec Harold et Lorraine Sheldon, qui risquaient d'éventer son secret. Mais parce qu'elle en éprouvait le besoin irrépressible. Kevin occupait une place de plus en plus grande dans sa vie ; de jour en jour, il lui devenait plus cher. Le moment était venu de lui ouvrir son cœur.

Un court instant, Beth se revit telle qu'elle était un mois plus tôt. Craintive, fragile et complexée.

Mais c'était du passé. Aujourd'hui, elle s'assumait complètement.

Elle se rinça la bouche et se passa un coup de peigne dans les cheveux. Il fallait qu'elle libère la salle de bains pour son frère.

Hugh était préoccupé, depuis quelque temps. Chaque nuit, elle l'entendait se tourner et se retourner dans son lit. Et parfois, elle voyait luire l'écran de son ordinateur dans la salle de séjour.

Faye Carson y était sûrement pour quelque chose, car Hugh ne semblait malheureusement pas avoir beaucoup progressé avec elle. Beth ne savait pas trop quoi faire pour l'aider, mais elle allait y réfléchir. En attendant, elle n'arrêtait pas de chanter les louanges de son frère à Faye qui, apparemment, ne souhaitait pas plus que lui voir évoluer leur relation.

Ils se plaisaient, pourtant. L'attirance qu'ils éprouvaient l'un pour l'autre était presque tangible. Mais ni l'un ni l'autre ne paraissaient prêts à faire le premier pas.

Peut-être qu'en les poussant un peu… Peut-être que si elle proposait de garder Caitlin, un soir, Hugh se déciderait à inviter Faye à dîner en ville… ?

Etait-elle prête, cependant, à veiller sur une enfant de deux ans et demi, elle qui, jusqu'à très récemment, n'était même pas capable de veiller sur elle-même ?

Elle ferma les paupières et chercha à localiser ce noyau d'angoisse et de confusion qui se terrait en elle. Mais s'il était encore là, il était bien caché. Beth se sentait décidément très sûre d'elle et confiante en l'avenir.

Elle jeta un coup d'œil à la pendule. Presque 6 h 30. Hugh devrait être debout et en train de tambouriner à la porte. Intriguée, elle se dirigea vers sa chambre à pas de loup, et frappa un coup léger à sa porte.

— Debout, là-dedans ! claironna-t-elle.

— Laisse-moi tranquille, grommela Hugh du fond de son lit.

— Il est 6 heures et demie, insista Beth.

— Quoi ? Zut ! Mon réveil n'a pas sonné.

Quelques secondes plus tard, il apparut, en T-shirt et caleçon, l'air mal réveillé. Il passa une main sur ses joues et déclara d'une voix ensommeillée :

— Je me douche et me rase vite fait, puis nous irons prendre le petit déjeuner en ville, si tu veux.

— Faye m'attend à la serre. Pourquoi ne pas m'accompagner ? Tu ne le regretteras pas : ses muffins sont délicieux.

Il se rembrunit, comme chaque fois qu'il était question de Faye.

— Tu ne pointes pas, que je sache ! Laissons tomber les muffins. J'ai plutôt envie de saucisses, ce matin.

Les Sheldon ne se levaient généralement pas très tôt, mais Beth préférait ne pas prendre le risque de les rencontrer à la serre, à la table du petit déjeuner. Tant qu'elle n'avait pas dit la vérité à Kevin, mieux valait les éviter. Et tant pis s'ils trouvaient son attitude étrange.

— D'accord, dit-elle. Faye devrait pouvoir s'en sortir seule pendant une heure. En avant pour la Gerbe d'Or ! Mais, par pitié, pas de saucisses. J'en ai les artères qui se bouchent rien que d'y penser. Optons plutôt pour des céréales et des fruits.

Secrètement ravie, elle ajouta :

— Avec un peu de chance, nous allons rencontrer Kevin.

Réveillée aux premières lueurs du jour, elle avait fini par se lever, faute de pouvoir se rendormir. Quand elle était sortie de la douche, elle avait trouvé Caitlin en train de sauter sur son lit. La fillette était maintenant assise à sa petite table, derrière le comptoir, et mangeait tranquillement ses corn flakes. Faye fut surprise de voir Lorraine Sheldon déjà sur le pied de guerre. Ni son mari ni elle ne s'étaient jamais levés aussi tôt depuis leur arrivée.

— Bonjour, ma chère. J'ai décidé d'aller admirer les papillons avant qu'il fasse trop chaud. C'est possible, j'espère ?

— Je m'apprêtais justement à aller rapporter les mangeoires. Je serais ravie que vous m'accompagniez, déclara Faye le plus aimablement possible.

Un sourire doucereux sur les lèvres, Lorraine se mit à examiner les bibelots et les plantes en pot proposés aux visiteurs. Les vacances d'été avaient commencé, et Faye avait été tellement occupée qu'elle n'avait, fort heureusement, pas eu souvent l'occasion de parler avec les Sheldon.

— Puis-je vous offrir une tasse de thé ? Ou de café ?

Faye se déporta sur la gauche afin de masquer Caitlin à la vue de Lorraine.

— Je boirais volontiers une tasse de thé.

Vêtue d'un pantalon de lin beige et d'un caraco de soie pistache qui portaient la griffe d'un grand couturier, Lorraine Sheldon arborait un élégant chapeau de paille, censé protéger son maquillage des ardeurs du soleil. Sa tenue, ses bijoux en or massif, ses ongles parfaitement manucurés lui donnaient une allure mondaine, presque sophistiquée. Elle était parée comme pour aller flâner le long de la Cinquième Avenue ou de Rodéo Drive. En la voyant juchée sur de fines sandales à talons hauts, Faye se demanda comment elle avait fait pour descendre l'allée sans se tordre la cheville.

Fardée et apprêtée comme elle l'était, il était difficile de lui donner un âge. Sa silhouette svelte, sa démarche souple et énergique étaient celles d'une femme habituée à entretenir et prendre soin de son corps. Ses cheveux resplendissaient de santé et son visage était exempt de rides. Ce qui était sûr, en tout cas, c'est qu'elle était bien plus jeune que son mari. Harold Sheldon devait friser la soixantaine. Avait-elle été ce genre d'épouse qu'on brandissait tel un trophée ? Une femme gâtée par un mari plus âgé dont l'existence tout entière gravitait autour de leur unique enfant ? Cela expliquerait pourquoi elle avait traqué Beth et Hugh jusqu'à la Ferme, pourquoi elle tenait tellement à retrouver sa petite-fille.

— Je n'ai malheureusement que du thé en sachet. Mais c'est du thé de Ceylan.

— Oh ! dit Lorraine avec une petite moue. En ce cas, je me contenterai d'un jus de fruits.

— Orange ou canneberges ? demanda Faye en se penchant vers le minibar.

— Canneberges.

Faye la servit, dissimulant sous une froideur professionnelle la répulsion qu'elle éprouvait. Lorraine la glaçait.

— Je pensais voir Beth, dit Lorraine d'un ton faussement désinvolte.

— C'est à peu près l'heure à laquelle elle arrive, d'habitude.

Lorraine but une gorgée de jus de fruits, du bout des lèvres, avant de décocher à Faye un sourire hollywoodien.

— Je l'ai si peu vue, depuis que nous sommes ici. Je crois bien qu'elle me fait la tête. J'espère que ce n'est pas votre cas.

Comment cela ?

— Eh bien, vous pourriez m'en vouloir d'avoir réservé le cottage sous mon nom de jeune fille.

— La ruse était superflue, déclara Faye froidement.

Si elle avait pu se douter qu'elle avait affaire aux parents de Jamie, elle se serait évidemment bien gardée de leur louer le cottage. Mais Lorraine n'avait pas besoin de le savoir.

— J'aurais dû tout vous expliquer, quand nous sommes arrivés. Mais c'est une histoire tellement compliquée…, dit Lorraine en haussant ses frêles épaules.

— Je suis… au courant de ce qui est arrivé à Beth, commença Faye d'un ton hésitant.

Elle avait l'impression de marcher au bord d'un précipice. Au moindre faux pas, elle basculerait dans le vide.

— Elle a l'air de se plaire, ici. Je la trouve en forme, dit Lorraine.

— Cet endroit est idéal quand on a des blessures à panser. J'en ai moi-même fait l'expérience, quand je suis venue m'installer ici, après la mort de mon mari.

— Je sais ce que c'est que de perdre un être cher.

— Il y avait une telle tristesse dans sa voix que Faye ne put s'empêcher de la plaindre. Elle repensa au grand et beau jeune homme rencontré dans le parc. Quelle sorte d'homme serait-il devenu ? Aurait-il mûri et fait face à ses responsabilités ?

— Beth est en train de construire son avenir. Elle finira par s'en sortir, dit-elle.

— Dieu vous entende ! Mon mari et moi sommes très attachés à Beth. Nous nous sommes beaucoup inquiétés quand nous avons découvert qu'elle avait quitté Houston sans rien dire à personne. Il fallait que je la retrouve, et que je m'assure qu'elle allait bien.

— Pourquoi en aurait-il été autrement ? Avec Hugh, elle ne craint rien. Il est tellement attentionné.

— Je ne prétends pas le contraire. Mais Hugh est un homme ; il n'a pas la même vision des choses. Je pense qu'il ne se rend pas compte…

Elle s'interrompit pour boire une gorgée de jus de fruits.

— Beth a un petit ami, apparemment. Elle nous l'a présenté. Ce Kevin Sager nous a plutôt fait bonne impression.

154

— Kevin est un jeune homme tout ce qu'il y a de respectable. Il enseigne les sciences naturelles au collège. Je l'aime beaucoup.

— Cela me rassure. Je ne voudrais pas que Beth tombe sur quelqu'un qui profite d'elle.

Comme Jamie l'avait fait ? faillit demander Faye, qui se ravisa juste à temps. Beth avait de bonnes raisons de ne pas aimer Lorraine. Qui aurait pu supporter qu'on se mêle continuellement de ses affaires ?

— Si vous avez fini, je vous emmène visiter la serre, dit Faye pour couper court à de nouvelles questions.

— Je suis prête.

Comme elle posait son verre sur le comptoir, Lorraine aperçut Caitlin. Encore en pyjama, la fillette terminait tranquillement son petit déjeuner. Addy montait la garde près d'elle, prompte à avaler les corn flakes qui tombaient par terre.

— Votre fille est adorable. Je ne l'ai pas vue beaucoup, elle non plus.

— Elle passe une partie de la journée avec la nièce de mon beau-frère, qui rédige un mémoire sur les enfants de son âge.

Faye sentit une main de fer lui broyer l'estomac en même temps qu'une sonnette d'alarme se déclenchait dans sa tête, aussi stridente que la sirène annonçant l'approche d'une tornade. L'intérêt que Lorraine semblait porter à la fillette ne lui disait rien qui vaille.

— J'ai deux ans, claironna Caitlin en levant un pouce et un index tout poisseux. Et ça, c'est mon chien. Elle s'appelle Addy. Faites attention : elle va vous sentir le derrière.

— Euh… j'en prends bonne note, répondit Lorraine d'un air très digne.

Tandis que Caitlin portait à sa bouche une énorme cuillerée de céréales, Lorraine fronça les sourcils.

— Elle est gauchère ?

— Oui. Depuis toute petite.

Lorraine se mit à examiner Caitlin comme un entomologiste l'aurait fait d'un spécimen rare et très recherché. Puis elle fit le tour du comptoir et posa la question que Faye redoutait tant d'entendre.

— Tu as deux ans, dis-tu, mais sais-tu quand a lieu ton anniversaire ?

— Non. Mais je crois que c'est plus tard, quand il fera froid. En tout cas, moi, aujourd'hui, je vais me baigner.

— Ah bon ? C'est formidable.

— Voulez-vous voir les papillons, madame Sheldon ? interrompt Faye en se dirigeant vers l'entrée du jardin tropical. Moins la porte reste ouverte et mieux c'est.

— Comment ? Ah oui. Les papillons.

— Je veux y aller aussi, décréta Caitlin en se levant.

— Tu ferais mieux de finir tes corn flakes, mon chaton.

En général, Faye ne laissait pas la fillette seule dans la serre. Mais elle n'en avait que pour deux minutes, le temps de remettre les mangeoires en place. Lorraine pourrait rester et admirer les papillons tout à sa guise.

— Non, je viens, insista Caitlin, têtue comme une mule.

— D'accord. Mais promets-moi d'être sage et de laisser les papillons tranquilles.

— Je serai très, très sage. Couchée, Addy ! ordonna la fillette.

La chienne gémit et leva vers Faye un regard implorant.

156

— Couchée ! répéta Faye, qui avait toujours le plus grand mal à ne pas se laisser apitoyer par le regard d'Addy, incomparable de douceur et de douleur.

Pour la consoler, Caitlin donna à la chienne une grosse poignée de corn flakes qu'elle éparpilla au pied de la table. Puis elle se dirigea vers la porte à cloche-pied en chantonnant de sa petite voix haut perchée une comptine qu'elle affectionnait tout particulièrement.

— Elle parle bien, pour son âge, fit remarquer Lorraine d'un ton léger que démentait son regard aigu, vrillé sur la fillette.

— Elle est vive d'esprit. Et curieuse de tout. A la rentrée, elle ira à l'école trois matinées par semaine.

Faye posa un instant les mangeoires sur le comptoir pour prendre Caitlin dans ses bras.

Lorraine marqua un temps d'hésitation.

— Elle est née en hiver, d'après ce que j'ai compris. Elle aura donc trois ans avant la fin de l'année, n'est-ce pas ?

Tout en parlant, Lorraine tripotait les couettes de la fillette.

— Oui, répondit Faye, pressée de commencer la visite et d'abréger ce qu'elle pressentait être un interrogatoire en bonne et due forme.

Dès qu'elles eurent franchi la porte du sanctuaire, elle se lança, d'une voix mécanique, dans les explications habituelles.

— Ce que vous voyez sur la gauche est la pièce réservée aux chrysalides. On y trouve dix-sept espèces différentes de papillons. En attendant de pouvoir entreprendre les travaux et d'obtenir les agréments qui me permettront d'élever des espèces tropicales, je les achète à un éleveur du New Jersey.

— Passionnant, murmura Lorraine en se lissant les cheveux.

Caitlin l'intéressait manifestement bien plus que les cocons auxquels elle ne daigna même pas accorder un regard.

— Tous les papillons que vous pouvez observer ici sont des espèces tropicales. Les espèces locales sont visibles dans la prairie fleurie adjacente à la serre. Quant aux monarques, je leur ai réservé une volière spéciale, que vous avez probablement aperçue. Je marque tous les imagos que je capture dans la prairie, bien que seuls les plus jeunes entreprennent le voyage jusqu'à Mexico.

— Comment s'y prend-on pour marquer un papillon ?

— On les attrape au filet et on pose sur une de leurs ailes un minuscule autocollant. C'est un peu fastidieux et demande un certain savoir-faire, mais le papillon n'en souffre pas. Si ça vous dit d'assister au marquage, je vous ferai signe, la prochaine fois.

— Volontiers. A condition qu'il ne fasse pas trop chaud.

Caitlin, qui s'était précipitée vers la cascade, était assise au bord de la rocaille et trempait ses mains dans l'eau fraîche. Tout sourires, elle montra un papillon d'un bleu iridescent d'une très grande envergure.

— Un morpho bleu, murmura-t-elle en aparté.

— Est-ce vraiment comme ça qu'il s'appelle ?

Lorraine n'avait d'yeux que pour Caitlin et se moquait éperdument du papillon.

— Oui, répondit Faye. Il vient du Costa Rica et compte parmi les plus beaux papillons au monde.

— Et elle en connaît combien, comme ça ?

— Pas tant que cela, en réalité. Elle connaît les monarques parce que je lui ai parlé de leur migration annuelle et

158

que j'en capture régulièrement. Elle repère aussi les sphinx tête de mort et les papillons-feuilles.

— Et elle n'a pas encore trois ans ! C'est stupéfiant ! J'avais un fils, dit Lorraine en soupirant. Mais il est mort dans un accident de voiture. Beth vous en a peut-être parlé ?

— Je savais que le petit ami de Beth était mort dans l'accident qui l'a rendue amnésique. Mais jusqu'à votre arrivée, j'ignorais que ce jeune homme était votre fils.

Et pour cause ! Lorraine ne releva pas l'allusion à sa supercherie.

— L'histoire ne s'arrête pas là. Je ne sais pas si Beth ou son frère vous ont mise au courant ?

— Je ne…, commença Faye mais Lorraine ne la laissa pas finir.

— Beth était enceinte quand elle a persuadé Jamie de s'enfuir avec elle. Je ne lui en veux pas, bien sûr.

Il était clair, pourtant, qu'elle tenait la jeune fille pour responsable de la mort de son fils.

— J'admets, cependant, que j'ai fait une erreur. Je pensais qu'il était préférable que Beth…n'ait pas le bébé. Quand j'ai compris qu'il était inutile de lui parler d'avortement, j'ai commis une autre erreur. J'ai demandé à son père et à sa belle-mère de faire pression sur elle pour qu'elle accepte d'abandonner l'enfant à la naissance. Voilà pourquoi maintenant, elle nous déteste tous.

— Beth est incapable de détester qui que ce soit, assura Faye, mais Lorraine ne l'écoutait pas.

— J'ai une petite-fille, dit-elle lentement. Mais je ne la connais pas. Je ne sais même pas où elle est. Quand Caitlin est-elle née ?

— En novembre, répondit Faye, en proie à une nervosité croissante qu'elle s'efforçait vainement de combattre.

Un peu de cran, que diable ! se dit-elle. Elle avait menti à Hugh, à Beth, à tout le monde. Pourquoi se laisserait-elle intimider par Lorraine Sheldon ?

— Quand, exactement ?

Lorraine avait les bras croisés sur sa poitrine plate.

— Le 11.

Lorraine accusa le coup. D'une voix blanche, elle déclara :

— Ma petite-fille est née le 11 novembre. Du moins le supposons-nous. Et elle est sûrement gauchère, comme Jamie. Il avait hérité cela de moi. C'est beaucoup moins courant, chez les filles. Vous n'êtes pas gauchère, apparemment ?

Faye eut l'impression qu'une chape de béton lui tombait sur le crâne. Elle ressentit une forme indicible de terreur mêlée à une profonde détresse, la sensation qu'un abîme infini s'ouvrait sous elle.

— Non, pas moi, dit-elle en s'obligeant à soutenir le regard de Lorraine. Mais mon mari était gaucher.

Béni soit Mark qui, grâce à cette autre caractéristique héréditaire, allait peut-être la sauver ! songea Faye.

— Caitlin a la couleur de cheveux de Beth, murmura Lorraine. Et elle est aussi menue qu'elle.

D'une voix presque inaudible, elle ajouta :

— Quant aux yeux, c'est Jamie tout craché.

— Non, dit Faye d'un ton ferme. Caitlin a mes yeux.

Avait-elle entendu ? Impossible à dire. Elle jeta un regard éperdu autour d'elle et s'effondra sur le banc le plus proche.

— Oh Seigneur ! se lamenta-t-elle avant de relever brusquement la tête. Pourquoi Hugh Damon est-il venu ici ?

— Je… euh…

Faye humecta ses lèvres sèches. Elle avait peur et maîtrisait mal le tremblement de ses jambes, la sueur de ses

160

paumes. Il fallait cependant qu'elle se ressaisisse au plus vite, faute de quoi elle perdrait toute crédibilité.

— Il a trouvé mon adresse sur le site de la chambre de commerce, tout comme vous.

— Hugh travaille à plus de soixante-dix kilomètres d'ici. Nous sommes passés devant le chantier, en venant. Il n'a pas choisi cet endroit parce qu'il était proche de son lieu de travail.

— Il l'a choisi parce qu'il lui plaisait.

— Non. S'il est là, c'est pour une autre raison.

— Une raison que j'ignore, alors. Mais vous pouvez toujours lui poser la question.

Rivé sur Caitlin, le regard de Lorraine avait une fixité étrange.

— Inutile. Je sais déjà pourquoi il est venu. Il a découvert un indice qui a échappé aux enquêteurs et l'a mis sur la voie. C'est Caitlin, n'est-ce pas ? Caitlin est la fille de mon Jamie.

— Vous vous trompez, déclara Faye d'une voix égale. Caitlin est *ma* fille. Il s'agit d'une simple coïncidence, rien de plus.

Faye comprit soudain que cette femme était une incarnation de la silhouette noire de son cauchemar. La personne sans visage qui la jugeait et sortait de l'ombre pour lui enlever son enfant n'était autre que Lorraine Sheldon. Son véritable ennemi, c'était elle, et non Hugh Damon.

Mue par une sorte d'instinct, violent et désespéré, elle fut tentée de fuir en emportant Caitlin dans ses bras. Mais ce n'était peut-être pas la meilleure solution.

Elle avait peur, pourtant. Car elle avait la certitude absolue que Lorraine Sheldon ne renoncerait jamais. Elle n'aurait de cesse qu'elle ne prouve que Caitlin était bien la fille de Jamie.

10.

Lorsqu'en passant devant le panneau, Hugh vit que la Ferme des Papillons était fermée pour l'après-midi, il fut quelque peu étonné. Il le fut encore plus quand, après avoir reconnu la vieille Buick de Kevin Sager, stationnée près du cottage, il découvrit le jeune homme assis devant la porte.

— Je t'attendais, déclara Kevin en se levant lestement. Beth est restée enfermée toute la journée. Elle refuse de sortir et ne veut pas me laisser entrer.

— Qu'est-ce qui s'est passé ?

Pressentant le pire, Hugh jeta un coup d'œil en direction du cottage occupé par les Sheldon. Leur Lexus n'était pas là. La voiture immatriculée dans l'Indiana qu'il avait remarquée ce matin, devant le troisième cottage, était également partie.

— Je n'en sais fichtre rien. Ça doit être un truc grave parce que Faye avait l'air presque aussi retournée que Beth.

Collant son oreille à la porte, Hugh frappa deux coups au lourd battant de bois peint en vert.

— C'est moi, Hugh. Laisse-moi entrer.

Pas de réponse. Hugh songeait déjà à enfoncer la porte lorsque celle-ci s'ouvrit sans bruit sur une Beth pâle et échevelée, qui avait visiblement passé la journée à pleurer. Une

162

chaleur étouffante régnait dans la pièce. La jeune fille n'avait pas pris la peine de mettre en marche la climatisation.

— Tu es seul ? demanda-t-elle en s'effaçant pour le laisser passer.

— Je suis là, intervint Kevin avant que Hugh ait eu le temps de répondre quoi que ce soit.

Craignant de toute évidence que Beth ne lui ferme la porte au nez, le jeune homme se précipita à l'intérieur. Hugh lui emboîta le pas.

Beth se laissa tomber sur le canapé et remonta les genoux sous son menton. Les bras serrés autour de ses jambes, elle demanda :

— Tu es resté assis là tout ce temps ?

Debout derrière le canapé, penché au-dessus d'elle, Kevin répondit :

— Je t'avais dit que je ne bougerais pas d'ici. Ce n'était pas une blague. Je n'ai pas l'habitude de lancer des paroles en l'air.

Elle lui toucha le bout du nez.

— Tu as attrapé un coup de soleil.

Le soleil tape dur, devant la porte.

— Que se passe-t-il, Beth ? demanda Hugh après avoir mis en marche la climatisation.

Le soulagement qu'il avait ressenti en la voyant bien portante fut de courte durée. Elle avait les paupières gonflées et son visage pâle et creusé d'ombres trahissait sous son masque raidi une profonde souffrance.

— Oh Hugh ! dit-elle en lui jetant un regard éperdu. Pourquoi ne m'as-tu rien dit, pour Caitlin ? Pourquoi a-t-il fallu que ce soit Lorraine qui me mette au courant ?

— Caitlin ? Mais de quoi parles-tu ? demanda Kevin.

Il s'assit près d'elle et l'attira à lui. Hugh les regardait sans rien dire. La fragile silhouette de Beth se mit à tressaillir et, de frissons en sanglots, elle s'effondra dans les bras de Kevin.

— Je voulais t'en parler. J'allais le faire, mais voilà que... Je... je n'arrive pas à le croire. Je... ne me souviens de rien.

Les sanglots de Beth arrachèrent Hugh à sa torpeur. Elle savait tout, apparemment. A force de retarder le moment de tout lui expliquer, il s'était fait devancer. Une fois de plus, il avait trahi la confiance de Beth. C'était d'autant plus impardonnable qu'il se doutait bien que Harold et Lorraine finiraient par découvrir le pot aux roses. Il n'avait aucune excuse pour ne pas avoir prévenu Beth.

Et Faye, comment réagissait-elle ? Et la petite, que devenait-elle, dans tout ça ?

— Que s'est-il passé, exactement ?

Hugh crut tout d'abord qu'elle ne répondrait pas. Un long silence plana entre eux, puis la voix de Beth, claire et tremblante, s'éleva dans la pièce.

— Quand tu m'a ramenée, ce matin, je suis allée à la serre, comme d'habitude, pour aider Faye. Elle avait l'air bizarre. Caitlin pleurait dans son coin et Addy aboyait comme une enragée. Lorraine était avec elles. Et elle pleurait, elle aussi. Elle était effondrée, presque hystérique. Et tellement agressive...

Elle émit un petit rire sans joie.

— J'aurais dû m'en douter, bien sûr. Mais aussi, pourquoi ne m'as-tu rien dit ? Pourquoi, Hugh ?

— Continue, dit-il.

Il fallait qu'il sache ce que lui avait dit Lorraine. Les dégâts n'étaient peut-être pas irréversibles...

— Nous sommes restées à nous regarder sans rien dire pendant quelques instants. Puis Lorraine s'est tournée vers moi et m'a reproché de ne pas avoir reconnu...

La jeune fille s'interrompit et se cacha le visage dans les mains.

— Je ne peux pas, dit-elle en secouant la tête.

— Mais si, tu peux. Tu peux tout me dire, assura Kevin en la berçant tendrement contre lui comme une enfant.

Hugh ne broncha pas. Il était vexé d'être tenu à l'écart. Ce n'était pas à lui, mais à Kevin que Beth s'adressait. La communication entre sa sœur et lui était une fois de plus rompue.

— Tu vas me détester, murmura Beth. Je m'en veux tellement...

Kevin lui souleva le menton et la regarda longuement.

— Ne dis pas de bêtises. Comment pourrais-je te détester alors que je... Mais laissons ça pour le moment et explique-moi ce qu'a fait la mère de Jamie pour te mettre dans des états pareils.

— Jamie est mort dans l'accident, commença la jeune fille d'un ton hésitant.

— Oui, ça je le sais déjà. Mais tu ne m'as pas tout dit, n'est-ce pas ?

— Non, mais je... m'apprêtais à le faire. Aujourd'hui même. Je te le jure.

Beth fondit de nouveau en larmes.

— Je te crois. Continue, Beth, je t'en prie.

Hugh prit une boîte de mouchoirs en papier sur le comptoir et le tendit à Kevin. C'était tout ce qu'il pouvait faire pour Beth, le seul réconfort qu'il était autorisé à lui apporter pour l'instant. La jeune fille se redressa et se moucha. Elle essayait de prendre sur soi. Hugh en éprouva une certaine fierté.

— Il s'est passé quelque chose avant l'accident. C'est ça ? demanda Kevin.

Beth hocha lentement la tête.

— Oui, dit-elle enfin. J'étais enceinte… et j'ai mis au monde… une petite fille.

Les mots venaient difficilement et semblaient énormément la faire souffrir, comme des éclats de métal qu'on arrache un à un d'une blessure.

— Je sais tout ça grâce à mon journal. Mais au moment de l'accident, le bébé n'était pas avec nous.

Sa voix était presque un murmure mais l'horreur y était perceptible. Et la peur, aussi.

— On ne l'a jamais retrouvé. La police a entrepris toutes les recherches possibles et imaginables. Hugh a enquêté de son côté. Quant à Harold et Lorraine, ils ne savent plus à quel saint se vouer, mais ne renonceront jamais. Et tout ça pour rien. Chaque matin, je me réveille en me demandant si elle est morte… ou vivante. Et voilà que… aujourd'hui, Lorraine m'annonce qu'elle est persuadée que Caitlin n'est pas la fille de Faye… mais la mienne.

Elle se remit à pleurer sans bruit. Puis elle parut soudain se souvenir de la présence de Hugh.

— Qu'en penses-tu, toi ? demanda-t-elle en serrant les mains de Kevin. Elle se trompe, n'est-ce pas ? C'est vrai que Caitlin est née le même jour que ma fille, et que Faye a accouché seule, sans témoins, mais c'est une coïncidence. L'accident a eu lieu à des dizaines et des dizaines de kilomètres d'ici. D'après la police, rien ne prouve que nous soyons allés dans l'Ohio. Et toi et moi, nous sommes ici par hasard. Les papillons de la serre n'ont probablement rien à voir avec ceux de mon cauchemar. Quant au parc…

Le visage blême, elle se leva, arrachant ses mains à celles de Kevin.

C'est un parc comme les autres, affirma Hugh d'un ton lénifiant.

166

Il fallait à tout prix éviter que ne revienne cet horrible cauchemar qui, des mois durant, avait pourchassé Beth, l'avait traquée, assaillie chaque nuit, à tel point qu'elle avait failli en perdre la raison. Quitte à mentir, décida Hugh, autant mentir jusqu'au bout.

— Je reconnais qu'au départ, ce sont les papillons qui m'ont attiré ici. Mais Faye n'a ouvert la serre qu'*après* la naissance de Caitlin. Ta fille et la sienne sont effectivement nées le même jour, mais c'est une pure coïncidence.

Il mentait pour la protéger, et protéger du même coup Faye et Caitlin. Il voulait les empêcher de tomber entre les griffes de Lorraine Sheldon.

Beth se dirigea vers lui, la démarche incertaine. En deux enjambées, Hugh fit le tour de la table et se jeta dans ses bras.

— Pardonne-moi de t'avoir accusé à tort, bredouilla-t-elle. Je croyais que tu m'avais caché quelque chose. Tu as juré de toujours me dire la vérité. Tu te rappelles ?

— Oui, je m'en souviens très bien.

Il était prêt à tout pour la voir heureuse et bien portante. Etouffant ses scrupules, il la serra très fort dans ses bras, espérant qu'ainsi, elle ne verrait pas sur son front la culpabilité qui y était inscrite en lettres de feu.

Beth renifla et se moucha de nouveau.

— Je le savais. Si Caitlin était ma chair et mon sang, je le sentirais, n'est-ce pas ? Or je ne ressens rien de particulier. Je la considère un peu comme une petite cousine. Ou comme la fille d'une amie. Mais pas comme ma fille. Je le saurais si elle était ma fille, non ?

A ces mots, Hugh perdit tout espoir de voir un jour Beth recouvrer la mémoire. Dès qu'il avait posé les yeux sur Caitlin, il avait senti intuitivement que la fillette était sa nièce. Lorraine Sheldon aussi avait ressenti ces liens du sang, puisqu'elle avait fondé sa théorie sur cette certitude instinctive.

En voyant sa sœur trembler comme une feuille, Hugh jugea préférable de changer de sujet.

— Où sont Harold et Lorraine ? demanda-t-il.

— Ils sont partis, répondit Beth en retournant s'asseoir près de Kevin. Faye les a pratiquement mis dehors.

Elle esquissa un sourire.

— Dommage que tu ne l'aies pas vue ! Elle, au moins, elle n'est pas du genre à se laisser impressionner. Lorraine a eu beau pleurer, menacer, tempêter, Faye n'a rien voulu savoir. Après, Harold a essayé de me convaincre de lui ouvrir la porte, mais j'ai tenu bon. J'avais bien trop peur que Lorraine et lui ne me traînent de force chez l'hypnotiseuse. Ou chez les flics. Ils ont fini par s'en aller, mais ça a été dur. Il a fallu que Faye les menace d'appeler le shérif.

Un son inarticulé monta de la gorge de la jeune fille. Elle leva la tête et murmura, le visage empourpré :

— Mais ensuite, j'ai refusé d'ouvrir à Faye et à Kevin. Je ne sais pas ce qui m'a pris… Je crois que j'ai un peu perdu les pédales.

— Où sont Caitlin et Faye ?

— Elles sont parties chez Peg, répondit Kevin. Faye voulait rester, à cause de Beth, mais Caitlin était intenable. J'ai suggéré à Faye de fermer la serre pour le reste de la journée. Il y a environ deux heures qu'elles sont parties.

— Après ce qui s'est passé ce matin, dit Beth d'une toute petite voix, Faye ne me laissera plus jamais approcher Caitlin.

Ses lèvres frémirent, comme si elle allait se remettre à pleurer.

— Faye comprendra sûrement, dit Hugh, mais c'était un vœu pieux car rien n'était moins sûr.

168

— Puisses-tu dire vrai ! murmura Beth.

Elle soupira et confia, en se massant le front du bout des doigts :

— Je ne sais pas ce qui se passe : j'ai affreusement mal à la tête.

— Ça ne m'étonne pas ! s'exclama Kevin. Tu sais qu'il est plus de 19 heures ? Je parie que tu n'as rien avalé, depuis le petit déjeuner ?

Elle le regarda, l'air hébété. Puis elle secoua la tête.

— Voilà ce qu'on va faire, déclara Kevin en se levant. Je connais un petit restaurant qui devrait te plaire. Il est hors de la ville : on y sera tranquilles. Mais avant, que dirais-tu d'aller te passer un peu d'eau sur le visage et de te donner un coup de peigne ?

— Beth glissa les doigts dans ses cheveux.

— Je dois avoir l'air d'une folle.

— Tu as l'air de quelqu'un qui a pleuré toute la journée. Pas la peine de te mettre sur ton trente et un. Là où je t'emmène, la cravate et la robe du soir ne sont pas de mise. On mange sur des planches de bois des steaks grands comme ça. Tu vas adorer.

— Je ne mange jamais de viande rouge. Combien de fois devrai-je te le répéter ?

— Tu prendras du poulet.

— Ils ont du milk-shake ?

— Le meilleur que j'aie jamais bu ! Dépêche-toi. Je meurs de faim.

Beth respira à fond et sourit entre ses larmes. Caressant du bout des doigts la joue de Kevin, elle demanda :

— Tu es resté assis là en plein soleil sans rien manger ?

— Exactement. Tu sais pourtant à quel point j'ai horreur de sauter un repas.

Tu as fait ça pour moi ?

— Bien sûr.

— Dis-moi que je pourrai toujours compter sur toi.

— Oui, mais pour être à la hauteur, il vaut mieux que j'aie l'estomac plein.

Le sourire de Beth, éblouissant, réchauffa le cœur de Hugh. Il n'avait plus rien à craindre pour sa sœur. Elle était désormais en bonnes mains.

— J'en ai pour dix minutes, dit-elle en se dirigeant vers la salle de bains.

A mi-chemin, elle se retourna et regarda Hugh.

— Tu crois que…

— Ne t'inquiète pas pour moi. Je me débrouillerai. Allez vite dîner. Tu verras qu'au retour, les choses te paraîtront beaucoup moins graves.

Elle secoua la tête.

— Moins graves, je ne sais pas. Mais je les prendrai peut-être avec plus de philosophie.

Kevin garda le silence quelques instants. Lorsqu'il fut sûr que Beth ne risquait pas de l'entendre, il confia à Hugh :

— Je me doutais bien que Beth ne s'était pas enfuie de chez elle simplement parce qu'elle ne s'accordait pas avec son père et sa belle-mère. Mais j'étais loin d'imaginer une histoire pareille. Ça a dû être terrible, pour elle…

— Elle avait l'intention de te parler du bébé.

Il hocha la tête.

— Oui, je sais. Mais tu as pris un sacré risque en amenant Beth ici, si tu pensais que la fille de Faye Carson avait des chances d'être la sienne. Cela ne pouvait que mal tourner.

Ce reproche, à peine voilé, Hugh le reçut en plein plexus. Tournant le dos à Kevin, il essaya de se ressaisir. La vague de colère qui l'avait submergé reflua aussitôt. Kevin avait raison. Tout était sa faute. Il aurait dû tout expliquer à Beth avant l'arrivée des Sheldon. A lui, donc, de supporter les conséquences de sa négligence. Il pourrait s'estimer heureux si après cette nouvelle bourde, sa sœur ne lui tournait pas définitivement le dos.

— J'ai besoin de savoir ce qui se passe, dit Kevin. Par égard pour Beth.

— Beth est sous ma responsabilité.

— Pour l'instant ! lui renvoya Kevin d'une voix tendue comme un arc. Mais si elle est d'accord, elle sera bientôt sous la mienne.

— Beth n'est pas en état de nouer une relation amoureuse.

— Il ne s'agit pas d'une simple liaison. Et je sais qu'elle n'est pas prête à s'engager maintenant. Ce que je veux dire, c'est que je tiens à elle. Et que je ne vais pas disparaître de sa vie juste parce que son grand frère essaie de se dépêtrer de l'invraisemblable imbroglio auquel il nous a tous mêlés.

Kevin ne mâchait pas ses mots. Hugh serrait les poings, furieux contre lui-même, bien plus que contre Kevin, qui n'avait fait que lui dire ses quatre vérités. Ce n'était certes pas en tenant son petit ami à l'écart que Hugh allait aider Beth à se sortir de ce pétrin. Il n'avait d'autre choix que de confier à Kevin Sager ce qu'il savait, et ce qu'il croyait.

— Il y a quelques mois, Beth a commencé à faire des cauchemars. Ou plutôt un cauchemar. Toujours le même. Elle rêvait d'un bébé qui pleurait et de papillons qui se transformaient en gouttes de sang sur la neige. Elle se réveillait chaque nuit en hurlant de terreur. Faute d'indices susceptibles de mener à une piste, j'avais quasiment renoncé à retrouver son enfant, mais quand elle a commencé à faire ce cauchemar, j'ai tout repris de zéro. En ajoutant les papillons aux éléments que j'avais déjà, et en élargissant les recherches, je suis tombé sur Faye Carson. Veuve, infirmière, mère d'une petite fille née le même jour que le bébé de Beth.

— Et propriétaire d'une serre dans laquelle elle élève des papillons, compléta Kevin en hochant pensivement la tête. Je reconnais que ce n'est pas si courant que ça.

— Il y avait trop de choses qui concordaient pour qu'il puisse encore s'agir de coïncidences. Quand l'ingénieur en chef du chantier de Cincinnati est mort brusquement d'un infarctus, j'ai sauté sur l'occasion. C'était la couverture idéale. Mais je serais venu même sans cela. J'aurais trouvé un prétexte pour ne pas éveiller les soupçons de Faye.

— Tu as peut-être raison, dit Kevin d'un ton hésitant. Faye s'est fait beaucoup d'amis, ces deux dernières années, mais ce serait mentir que d'affirmer qu'il n'y a pas eu de ragots quand les gens l'ont vue pour la première fois déambuler dans la grand-rue avec un bébé dont personne n'avait jamais entendu parler. Je me souviens que ma mère et ses amies s'en étaient étonnées. La grossesse de Faye était passée inaperçue. Les premiers mois où elle était ici, c'est vrai qu'elle ne sortait pas beaucoup, mais tout de même. Personne, absolument personne ne l'avait vue enceinte. Pendant quelque temps, les gens ont jasé, surtout quand ils ont appris qu'elle avait mis au monde cet enfant toute seule, un jour de tempête comme on n'en avait pas connu depuis vingt ans.

— Et ils jaseront encore plus si les Sheldon se mettent à les questionner.

— Tu penses qu'ils ne sont pas partis pour de bon ?

— Telle que je la connais, Lorraine ne partira pas avant de savoir à quoi s'en tenir. Surtout si elle est convaincue que Caitlin est la fille de Beth et de Jamie.

172

— Autrement dit, il faut s'attendre au pire. Mais ça ne m'étonne pas tellement. Lorraine Sheldon n'est apparemment pas du genre à s'encombrer de scrupules. Bartonsville est un bourg très sympathique, mais comme partout, il y a ici pas mal de gens qui font leurs choux gras du moindre scandale. Celui-ci défraierait sacrément la chronique.

— Je pensais qu'en l'amenant ici, Beth se souviendrait de quelque chose, admit Hugh d'un ton contrit. Ça n'a rien donné, malheureusement, mais j'espère encore, malgré tout. J'aimerais tant qu'un déclic se produise… C'est peut-être la raison pour laquelle j'ai autant attendu.

S'il s'était incrusté à la Ferme des Papillons, c'était aussi à cause de Faye, qu'il ne pouvait se résigner à quitter.

— Jusqu'ici, c'est ta parole contre celle de Faye Carson.

— Je n'ai aucune preuve. Seulement des présomptions.

— L'impasse totale, autrement dit.

— Exactement. Il a fallu que Lorraine Sheldon s'en mêle pour que les choses se précipitent. Je veux que Beth soit heureuse et en paix avec sa conscience. Mais je ne voudrais pas qu'on accuse Faye Carson d'être une voleuse d'enfant. C'est un peu compliqué, surtout avec les Sheldon sur le dos. Ces deux-là ont débarqué sans crier gare. Si nous avions décampé quand ils sont arrivés, Lorraine se serait doutée de quelque chose, et les nerfs de Faye auraient de toute façon été mis à rude épreuve. En fait, rien de ce qui est arrivé ne pouvait être évité.

Le bruit de l'eau s'arrêta. Beth allait ressortir de la salle de bains d'une seconde à l'autre.

— Que comptes-tu faire, maintenant ? demanda Kevin. Cette histoire risque de très mal se terminer si Mme Sheldon décide ne pas lâcher le morceau. Et j'ai l'impression qu'elle ne le lâchera pas. Comme c'est parti, Faye va se retrouver en prison, et Caitlin dans une famille d'accueil.

— Tu crois que je ne le sais pas ? Tout ce que je voulais, c'était que Beth soit heureuse et délivrée de ses démons.

— Aux dépens de Faye et de sa fille ?

— Bien sûr que non !

La porte de la salle de bains s'ouvrit et Beth reparut. Elle avait troqué son grand sweat-shirt contre un petit haut moulant, plus féminin. Kevin lui sourit gentiment.

— Alors je te conseille de trouver une solution, marmonna-t-il à l'intention de Hugh.

11.

— Jack ! Je t'ai déjà dit de ne pas diriger le jet vers le visage de ton frère, cria Peg à l'aîné de ses fils.

A son ton, on sentait qu'elle ne plaisantait pas. Peg savait se faire obéir ; Faye, qui, petite, s'était elle-même souvent fait remonter les bretelles, pouvait en témoigner.

Les deux sœurs se prélassaient sur la balancelle que Peg venait d'acquérir pour sa véranda. La décoration intérieure de la maison que Steve et elle avaient achetée un an plus tôt à un couple de retraités partis s'installer dans l'Arizona lui tenait lieu de carte de visite.

Assise en haut du toboggan, surveillée de près par Dana, Caitlin regardait ses cousins qui se couraient après pour s'arroser. Le soir tombait ; il commençait à faire moins chaud.

— Dana est une baby-sitter hors pair, fit remarquer Faye en posant paresseusement la tête contre le dossier de la balancelle. A la fin de l'été, elle aura bien mérité une médaille.

La migraine pulsait toujours derrière ses paupières, mais elle était plus sourde et Faye avait appris à faire avec.

— Il va falloir que je rentre, dit-elle. Je ne voudrais pas qu'on croie que les Sheldon me font peur. Et puis je m'inquiète pour Beth. Je n'aurais pas dû la laisser seule aussi longtemps.

— Ne t'en fais pas pour Beth. Tu as dit toi-même que Kevin Sager était avec elle.

— Assis devant la porte !

— Kevin ne la laissera pas tomber. C'est plutôt pour toi que je me fais du souci. Steve pourrait peut-être t'accompagner ? Juste pour s'assurer que ces gens sont bien partis.

Tout en parlant, Peg caressait distraitement les oreilles d'Addy, qui somnolait à leurs pieds, épuisée d'avoir couru tout l'après-midi derrière le gros Labrador jaune de la maison.

— Non, ce n'est pas la peine de déranger Steve. J'ai déjà bien assez de scrupules comme ça à comploter dans son dos.

Peg ne fit pas celle qui n'avait pas compris. L'air ennuyé, elle lui prit la main.

— Il faut que je t'avoue quelque chose, dit-elle. Steve est au courant, pour Caitlin. Quand nous nous sommes mariés, je n'ai pas pu m'empêcher de le mettre dans la confidence. Et tout à l'heure, pendant que tu couchais Caitlin pour sa sieste, je l'ai appelé pour lui raconter ce qui s'était passé ce matin.

— Je n'aurais pas imaginé que Steve savait, murmura Faye, éberluée.

— Je sais que je n'aurais peut-être pas dû. Je t'avais juré de ne jamais le dire à personne…

Faye voyait briller les larmes dans les yeux de sa sœur.

— La coupable, c'est moi, dit-elle. J'ai eu tort de te demander de garder un secret aussi lourd.

— A l'époque, je ne pensais pas que je me remarierais un jour. Et puis, je me suis laissé convaincre. Pour mon plus grand bonheur...

Elle se mit à rire, visiblement si heureuse que Faye ne put qu'envier le bonheur que Steve et elle partageaient, et qu'elle-même ne connaîtrait plus jamais.

Peg posa les mains sur son ventre qui s'arrondissait.

— Quand j'ai rencontré Steve, je n'osais pas y croire. J'ai eu une chance inouïe de pouvoir refaire ma vie.

— Et de tomber sur un homme comme lui, compléta Faye. Il suffit de le regarder pour savoir que jamais il ne trahira ton amour ni ta confiance.

— Jamais il ne trahira la tienne non plus.

— Je sais.

Sentant que les larmes lui venaient aux yeux, Faye ferma les paupières. Elle se souvenait de ce que Steve avait dit le soir du barbecue au bord du lac, juste avant l'arrivée des Sheldon. Il espérait avoir une petite fille aussi adorable que Caitlin. Caitlin, qu'il savait pourtant ne pas être sa chair et son sang.

— Il pense que tu devrais prendre un avocat.

— Non, répondit Faye. Nous n'en sommes pas encore là.

— Mieux vaut pouvoir parer à toute éventualité, déclara Peg avec douceur. Cela m'étonnerait que Beth et Hugh te fassent des ennuis, mais avec les Sheldon, il faut s'attendre à tout.

— Beth et Jamie se sont enfuis en abandonnant leur bébé.

— Je sais. Ils ont eu tort, c'est certain. Surtout Jamie. Mais Beth a également sa part de responsabilité. Hugh en est probablement conscient. Je suppose qu'il ne tient pas à ce que sa sœur passe pour une mère indigne.

— C'est aussi ce que je me suis dit, quand j'ai finalement décidé de ne pas le chasser. Je… savais qu'il ne prendrait pas le risque de faire du tort à Beth, et qu'avant de me traduire en justice, il y réfléchirait à deux fois.

Hugh était prêt à tout pour protéger sa sœur. Son dévouement exemplaire, sa loyauté indéfectible faisaient de lui un défenseur hors pair. Mais prendrait-il fait et cause pour elle, une étrangère ? Tout au fond d'elle-même, Faye l'espérait ardemment.

— Les Sheldon, en revanche, n'hésiteront pas longtemps, dit-elle d'un ton lugubre. Ils savent ce qu'ils veulent et ne reculeront devant rien pour récupérer leur petite-fille.

— Tu les vois peut-être plus noirs qu'ils ne sont, fit remarquer Peg. Lorraine va bien finir par comprendre que c'est Caitlin qui souffrirait le plus si on te l'enlevait maintenant.

— Je t'en prie, bredouilla Faye que la seule perspective de perdre Caitlin rendait malade de terreur, ne prononce plus jamais ces mots-là devant moi. J'en rêve la nuit, tellement j'ai peur qu'on me la prenne.

— Pardonne-moi. Je ne voulais pas t'angoisser davantage. Pourquoi ne me suis-je doutée de rien ? demanda Peg en soupirant. Comment ai-je pu ne pas reconnaître Beth ?

— La reconnaître ? Tu ne l'avais jamais vue, et Caitlin ne lui ressemble pas particulièrement. Jusqu'à ce matin, il ne lui était d'ailleurs pas venu à l'esprit que Caitlin pouvait être sa fille. Pauvre Beth ! Elle a été sidérée, quand elle a compris de quoi il retournait.

— N'empêche que j'aurais pu deviner, faire le rapprochement. Des Beth qui ont eu un accident de voiture, ça ne court tout de même pas les rues ! Ta nervosité, aussi, aurait dû me mettre sur la voie. Depuis son arrivée, je te trouvais bizarre. Je pensais que c'était son frère qui te tournait la tête...

Beth s'interrompit et secoua la tête. Puis elle scruta Faye en fronçant les sourcils.

— On dirait que tu tombes des nues. Je n'invente rien, pourtant. Tu t'es bel et bien entichée de Hugh Damon. Et ça, je l'avais remarqué, figure-toi. Le soir du barbecue, j'en ai même parlé à Steve.

— Mais non, voyons, protesta Faye avec toute la véhémence dont elle était capable. Après ce qu'il m'a fait, c'est impossible.

Peg n'en démordit pas, cependant.

— Lui seul peut t'aider à faire front contre les Sheldon. Hugh est ton meilleur allié.

C'était exactement ce qu'il lui avait dit, ce soir-là, au clair de lune.

— La seule chose qu'il voit, c'est le bien-être de sa sœur.

— Et celle que nous voyons nous, c'est *ton* bien-être et celui de Caitlin. Steve et moi ne te laisserons jamais tomber. Sache que nous ferons tout ce qui est en notre pouvoir pour t'aider.

— Je n'en ai jamais douté une seconde. Je me rends bien compte que je ne peux pas reprocher à Hugh de vouloir savoir ce qui arrivé au bébé de sa sœur. Si j'étais à la place de Beth, vous agiriez sans doute de la même façon que lui.

— Oui, probablement. Cette quête est tout à son honneur. Je regrette simplement que ce soit ma petite sœur qui ait écopé du mauvais rôle. Pourquoi ne me laisserais-tu pas Caitlin pour la nuit ? On ne sait jamais, que les Sheldon recommencent leur petit numéro. Dana est là, de toute façon, puisque Steve et moi devons partir aux aurores, demain matin.

Faye regarda sa fille, qui riait aux éclats et ne paraissait pas le moins du monde affectée par la scène à laquelle elle avait assisté, en début de matinée. Mieux valait cependant la tenir à l'écart des Sheldon.

— C'est vraiment gentil à toi, Peg. Je te remercie.

— Il n'y a pas de quoi. Tu sais que Caitlin est toujours la bienvenue à la maison.

Steve sortit de la grange et les deux sœurs le regardèrent sans rien dire traverser la cour dans leur direction. Bonhomme un peu rustre, un peu fatigué, qui trimbalait avec une grâce maladroite son imposante carrure, Steve arriva en souriant. Accoudé à la balustrade de la véranda, il déclara :

— Je devine rien qu'à voir vos têtes que Peg a craché le morceau.

— Elle m'a en effet avoué qu'elle t'avait tout raconté.

— Tant mieux. C'est plus sain comme ça. Je tiens à ce que tu saches que nous te soutenons, Peg et moi. Je pense que tu as bien fait de garder Caitlin. Si tu l'avais remise aux autorités, elle aurait été placée et il n'est pas certain qu'une fois l'enquête terminée, Beth l'aurait récupérée. La justice peut en décider autrement, mais en ce qui me concerne, Caitlin est ta fille. C'est une enfant dégourdie et parfaitement épanouie. Comme je te l'ai dit, je rêve d'avoir une fille comme elle.

En proie à une bouffée d'émotion intense, Faye avait peine à déglutir.

— Merci, Steve. Ça me touche vraiment.

Il secoua la tête et regarda ses fils, qui chahutaient avec l'eau.

— Je vais leur dire de se sécher et de rentrer. Sinon, nous risquons d'être encore là à minuit, dit-il d'une voix rauque.

Il se détourna très vite et partit rejoindre les garçons.

— Où les Sheldon ont-ils trouvé à se loger, à ton avis ? demanda Peg, au bout d'un moment. J'imagine qu'ils ne sont pas très loin.

— Il n'y a rien d'assez bien pour Lorraine, dans le coin.

— Elle serait prête à coucher dans une grange, si cela pouvait lui permettre d'arriver à ses fins.

Un frisson glacé courut le long du dos de Faye, qui murmura :

— Elle serait prête à tout… pour récupérer Caitlin.

Le bruit d'une voiture qui approchait tira Hugh de ses pensées. Il leva le nez et reconnut le break de Faye, qui passait lentement devant le cimetière. Après le départ de Beth et de Kevin, pour se calmer les nerfs il s'était mis à laver et astiquer sa vieille Chevrolet, qui en avait bien besoin. Cela lui avait permis aussi de tuer le temps en attendant le retour de Faye.

Elle ralentit devant l'entrée du cimetière, mais ne s'arrêta pas. Vivant, Mark l'avait aimée et protégée. Mort, il avait donné son nom à Caitlin. Il ne pouvait plus rien pour elle, désormais. Elle devait affronter l'avenir seule.

Ou l'affronter à ses côtés.

Il ne savait ni quand ni comment l'idée lui en était venue. Elle s'était en quelque sorte imposée à lui comme une évidence. Si Faye et lui unissaient leurs destinées, les Sheldon n'auraient plus aucune prise sur Beth et sur Caitlin. Ils contracteraient, comme on disait autrefois, un mariage de convenance. Faye accepterait-elle ?

Hugh n'était pas sûr d'avoir le cran de le lui proposer. Comment envisager de l'épouser sans pour autant faire d'elle sa femme ? La simple perspective de ce mariage lui mettait le sang en ébullition et faisait surgir en lui d'irrépressibles fantasmes. Faye partirait en courant si elle pouvait lire dans ses pensées.

Le siège enfant, sur la banquette arrière du break, était vide. Caitlin avait dû rester chez Peg. Faye s'arrêta un instant au bord de la route pour retirer le panneau « Fermé ». La vie allait reprendre son cours, comme si de rien n'était.

Addy, qui s'était précipitée hors de la voiture dès que sa maîtresse avait ouvert la portière, regarda dans sa direction et jappa pour le saluer, attirant l'attention de Faye qui l'aperçut. Tandis qu'elle se dirigeait vers lui, les bras croisés devant elle, il essaya de se concentrer sur sa tâche. Peine perdue ! Le capot de sa voiture réfléchissait comme un miroir l'image de la jeune femme.

— Comment va Beth ? demanda-t-elle avant même d'arriver à sa hauteur.

Il roula en boule le vieux T-shirt qu'il avait utilisé comme chiffon et le jeta dans le seau, accroché au robinet, sur le côté du bungalow.

— Pas trop mal. Kevin l'a emmenée dîner quelque part.

— Je savais que Kevin prendrait soin d'elle. Je ne l'aurais pas laissée, si je n'avais pas eu confiance en lui.

— Et vous ? demanda Hugh en contournant son véhicule pour pouvoir lui parler de plus près. Comment allez-vous ?

— Bien.

Un faucon passa au-dessus d'eux en criant, et au loin, un chien aboya.

— On ne dirait pas, dit Hugh, calmement.

Elle avait des cernes sous les yeux et les rides d'expression, au coin de ses lèvres, étaient plus marquées que d'habitude.

182

— Je suis encore un peu secouée, admit-elle sans détour. Cela fait deux fois en quinze jours qu'on m'accuse d'être une voleuse d'enfant.

Elle soutenait son regard sans ciller, mais il la sentait terrorisée.

— Comment Beth a-t-elle réagi ? A-t-elle cru Lorraine ? demanda-t-elle d'une voix tendue.

Quand elle avait cet air fragile et vulnérable, elle l'émouvait plus que de raison. Résistant à l'envie qu'il avait de la prendre dans ses bras, il fourra les mains dans les poches de son jean et s'adossa à la palissade du patio.

— Lui avez-vous dit que vous pensiez que Caitlin est sa fille ?

— Non.

— Pourquoi ? demanda-t-elle d'un ton agressif. Vous êtes pourtant convaincu que Caitlin est la fille de Beth et non la mienne. Je me trompe ?

— Faye, commença Hugh en tendant devant lui ses mains ouvertes en signe d'apaisement. Nous ne sommes pas là pour nous faire la guerre.

Elle eut un petit rire puis elle le considéra en fronçant les sourcils.

— Vous ne lui avez rien dit ? Beth ne sait toujours pas pourquoi vous l'avez amenée ici ?

— Je n'ai aucune preuve. Je pensais que...

Il renversa la tête comme pour chercher dans le ciel étoilé les mots qui lui faisaient défaut. Il avait espéré qu'ils finiraient par solutionner le problème, Faye et lui, qu'ils se mettraient d'accord sur un compromis dans lequel chacun trouverait son compte. Beth, en recouvrant sa tranquillité d'esprit. Faye, en gardant son enfant. Et lui ? Que désirait-il, au juste ? Une épouse, une maîtresse, une mère pour ses enfants ?

— Beth a une confiance aveugle en vous, dit Faye. Mais vous ne pourrez pas continuer à lui mentir indéfiniment. Elle finira par découvrir la vérité, alors à quoi bon attendre pour la lui révéler ?

Elle avait touché un point sensible. Il baissa la tête, tel un enfant pris en faute.

— Si vous attendez que je passe aux aveux, vous perdez votre temps, continua Faye du même ton vindicatif. C'est aussi vain que d'espérer que le soleil se lève à l'ouest.

Elle se détourna et Hugh comprit qu'elle allait s'en aller. Il sortit les mains de ses poches et la saisit aux épaules.

— Ne partez pas. Il faut que nous en discutions.

— En discuter ? A quoi bon ? Caitlin est ma fille.

— Elle a besoin d'être protégée. Beth aussi. C'est ce que j'essaie de vous faire comprendre.

Hugh se passa une main dans les cheveux.

— L'union fait la force, Faye. A deux, nous serons mieux armés pour les protéger. Nous devrions nous allier. Peut-être même devrions-nous envisager de nous marier.

Elle le regarda comme s'il avait perdu la tête.

— Qu'est-ce que vous racontez ?

— C'est le seul moyen d'empêcher Harold et Lorraine de connaître la vérité. Caitlin sera définitivement hors de leur portée.

— Non, dit Faye en secouant la tête. Ils prendraient cela comme une menace. Une… déclaration de guerre. Ils se douteraient qu'il y a anguille sous roche et seraient plus déterminés que jamais à savoir ce qu'est devenu le bébé de Beth.

Ne s'avouant pas vaincu pour autant, Hugh revint à la charge.

— A deux, nous doublons nos chances de les tenir en échec. Unissons nos forces pour neutraliser les Sheldon et les empêcher, une fois pour toutes, de nuire à Caitlin et à Beth.

— Non ! C'est impossible, déclara Faye en détournant les yeux. Il doit bien y avoir une autre solution. Je... ne peux pas... vous épouser. Je... ne vous aime pas.

Sans plus réfléchir, Hugh l'attira à lui.

— L'amour est-il nécessaire ? demanda-t-il avec douceur en sondant ses yeux mordorés, comme pour y lire une hésitation, une défaillance.

Mais Faye ne cilla pas. Elle restait sur ses positions, insensible à son argumentation. Adoptant alors une tactique plus subtile, Hugh se pencha vers elle et l'embrassa. Il la sentit se raidir, puis elle plaqua les mains sur sa poitrine pour le repousser. Mais les lèvres de Hugh se firent plus tendres, plus caressantes.

Avec un petit soupir de reddition, Faye céda enfin. Ses lèvres s'entrouvrirent, soudain accueillantes et dociles. Il les goûta, se délecta de leur saveur fruitée. Lorsque les bras de Faye se nouèrent autour de son cou, il délaissa un instant sa bouche pour effleurer du bout des lèvres ses paupières, ses tempes, ses oreilles. Puis il reprit sa bouche avec une ardeur presque désespérée, comme on conquiert une place forte trop longtemps convoitée, et elle s'abandonna au brûlant assaut des baisers. Le corps souple et voluptueusement féminin de Faye se pressait contre le sien, exacerbant le désir qu'il avait de lui arracher ses vêtements pour enfin sentir sa peau nue contre la sienne, et de l'allonger dans l'herbe pour lui faire l'amour fougueusement. Contrôlant tant bien que mal ses pulsions, Hugh parvint cependant à se détacher de la jeune femme, qui recula d'un pas.

— Le monde entier ne pourrait rien contre nous, si nous étions mari et femme, murmura-t-il.

185

— Il faut trouver une autre solution. Je ne me marierai pas sans amour. Et comme je sais que vous n'êtes pas amoureux de moi…

Des larmes brillaient dans ses yeux. Il lui souleva le menton.

— Peut-être pas, admit-il sans détour. Mais cela pourrait bien venir un jour…

Elle vit volte-face et s'enfuit, sa chienne sur les talons.

Il était inquiet pour sa sœur, et le souvenir torride du baiser qu'il avait échangé avec Faye l'empêchait de trouver le sommeil.

Il s'était vraiment conduit comme le dernier des imbéciles. Au lieu de lui proposer de conclure avec lui une alliance de la manière la plus sensée et la plus carrée qui soit, il l'avait embrassée. Et, comble de stupidité, il lui avait confié qu'il était en train de tomber raide amoureux d'elle.

Pas étonnant qu'elle soit partie en courant ! Elle devait le croire fou à lier. Et se méfier de lui presque autant que des Sheldon. A cette différence près qu'elle le savait incapable de faire du mal à Beth. Le peu de confiance qu'elle lui accordait, il l'avait perdu en lui montrant à quel point elle l'attirait.

Il voulait les protéger toutes les trois, Beth, Caitlin et Faye. Mais il s'y était pris comme un manche et avait sabordé son plan lamentablement. Désormais, Faye le fuirait comme la peste. Par sa faute à lui, elle devrait affronter seule Harold et Lorraine Sheldon.

12.

Il ronflait. Pas très fort, Dieu merci ; elle finirait par s'y habituer. La couleur de sa barbe, d'un roux nettement plus foncé que ses cheveux, constituait une autre particularité qu'elle n'avait jusque-là jamais remarquée. Du bout des doigts, elle lui effleura le menton. Kevin remua dans son sommeil et chassa la main qui l'avait dérangé.

Beth s'étira avec précaution. Elle aurait évidemment préféré passer la nuit dans la suite luxueuse d'un hôtel de charme plutôt que sur la banquette arrière à moitié défoncée de la Buick. Et si ce n'étaient que les courbatures, passerait encore ! Mais elle avait en plus une bonne demi-douzaine de piqûres de moustiques qui la démangeaient horriblement. Beth savait cependant que ces douze dernières heures compteraient parmi les plus belles de sa vie.

Ils n'avaient pas fait l'amour. Kevin avait préféré attendre.

— Quand nous ferons l'amour pour la première fois, lui avait-il dit, ce ne sera pas parce que tu cherches un dérivatif à tes soucis. Et ce ne sera pas à l'arrière de cette satanée voiture !

Il l'avait serrée dans ses bras, réconfortée et embrassée. Il lui avait caressé les cheveux mais il n'était pas allé plus loin. Et il ne lui avait pas dit qu'il l'aimait. C'était le cas, pourtant. Beth était elle-même follement amoureuse de lui. Mais pas plus que lui elle n'était prête à l'avouer. Pas avant d'avoir réglé le problème auquel elle avait été confrontée la veille.

Il lui faudrait un peu de temps, et Kevin le savait. Il attendrait qu'elle voie plus clair en elle. Car pour l'instant, Beth ne savait pas où elle en était et ne comprenait pas ce qui lui arrivait. Si Lorraine avait raison, si Caitlin était sa fille, le bébé qu'elle avait tant cherché et tant pleuré, pourquoi ne se réjouissait-elle pas d'avoir enfin retrouvé son enfant ?

Elle avait beaucoup d'affection pour Caitlin. La fillette était jolie comme un cœur, intelligente et très attachante. Mais Caitlin ne la considérait pas comme sa mère, et Beth ne reconnaissait pas en elle l'enfant qu'elle rêvait nuit et jour, depuis bientôt trois ans, de serrer dans ses bras.

Caitlin était la fille de Faye.

Et Beth ne voyait pas comment elle pourrait changer quoi que ce soit aux sentiments que Caitlin et elle éprouvaient l'une pour l'autre. Elle n'était même pas sûre d'avoir envie d'essayer.

Kevin émergea de son sommeil en grognant.

— Bonjour, dit-il avec un sourire paresseux.

— Bonjour.

Elle l'embrassa sur le bout du nez avant de se blottir contre son épaule. Ils avaient passé la nuit ensemble, certes, mais comment ne pas se sentir gênée quand on a l'haleine pas très fraîche, les cheveux tout emmêlés et le rimmel qui a coulé ?

— Tu as bien dormi ? demanda naïvement Kevin en se dressant sur son séant.

— Euh... oui, mentit-elle. Je n'ai pas fait de cauche-mars.

188

— Tant mieux. Mais il faut que je te ramène chez toi, maintenant. Ton frère doit m'attendre derrière la porte, une batte de base-ball à la main.

— Ne t'inquiète pas ; je lui expliquerai tout. Je préfère rentrer avant qu'il parte travailler. Je ne veux pas qu'il passe la journée à se demander où nous sommes.

— Ou ce que nous avons fait, dit Kevin en haussant les sourcils d'un air comique.

— Ou ce que nous avons fait.

Elle voulait surtout savoir ce que Hugh pensait réellement des allégations de Lorraine. Croyait-il vraiment qu'il s'agissait d'une simple coïncidence ou avait-il, comme elle, la certitude que Caitlin était sa fille ?

Etait-il possible qu'il l'ait trompée pendant des semaines, lui qui ne lui avait jamais menti auparavant ?

Kevin ouvrit la portière et descendit de voiture. Il faisait à peine jour mais les oiseaux chantaient à pleine gorge. Ils avaient passé la nuit au bord d'un talus, à l'extrémité d'un chemin envahi par l'herbe et bourré d'ornières. Beth aurait pu passer à côté dix fois de suite sans jamais le voir, mais Kevin était apparemment un habitué des lieux. Elle ne devinait que trop bien pourquoi, et se demanda, sans oser toutefois lui poser la question, combien d'autres filles il avait amenées là.

— Viens, dit-il en lui ouvrant la portière du côté passager. On y va. A moins que tu ne tiennes à faire pipi dans les buissons.

— Non, sans façon. Dieu sait pourtant que j'en ai envie. Alors, je t'en prie, appuie sur le champignon.

— Laisse-moi d'abord rejoindre la route. Si j'accélère maintenant, nous serons tellement secoués que nous arriverons trop tard de toute façon.

— Tu travailles, aujourd'hui ? demanda Beth tandis qu'il opérait un demi-tour.

— Non. Je vais juste passer chez moi pour me doucher et me raser, mais ensuite, je serai de nouveau tout à toi.

Kevin travaillait à temps partiel pendant l'été. Il vivait chez ses parents et économisait pour s'acheter une maison.

— D'accord. Pour ma part, il faut que…

Elle prit une profonde inspiration. Pas question de bafouiller, de chercher ses mots ou de perdre le fil de ses idées.

— Il faut que je parle à Faye, à un moment ou à un autre de la journée.

— Que vas-tu lui dire ?

Elle se tourna vers lui.

— Je n'en sais rien. Mais une chose est sûre : il est grand temps que j'aille voir à quoi ressemblent ces maudits papillons.

En partant chercher Caitlin, elle avait aperçu la Buick de Kevin, garée près du bungalow. A son retour, elle n'y était plus. La voiture de Hugh non plus. Il avait dû se rendre au chantier, comme d'habitude. Après ce qui s'était passé entre eux, Faye avait du mal à se concentrer, et même les tâches les plus routinières exigeaient d'elle un effort d'attention.

Une association. Un mariage de convenance. Irait-elle jusque-là pour sauvegarder son secret ?

Reprends-toi, voyons ! souffla en elle une petite voix. Une fois de plus, l'attirance qu'elle éprouvait pour Hugh avait failli la trahir. Dans la mesure où elle ne pouvait se confier à lui, il ne pouvait être ni son allié, ni son associé, et encore moins son mari. Elle était seule, aussi seule et désemparée que le jour où Caitlin était entrée dans sa vie. Elle n'avait pas le droit de l'oublier. A aucun moment. Elle devait se faire une raison. *Jamais* elle n'aurait un homme comme Hugh à ses côtés.

— Regarde, maman. J'ai fait une maison.

Caitlin jouait dans le petit bac à sable en forme de tortue que Hugh lui avait rapporté un jour, et qu'il avait installé dans un coin de la serre. Beth l'avait acheté « pour une bouchée de pain » dans un vide-grenier. Caitlin était tellement contente que Faye n'avait pas eu le cœur de refuser.

— T'as vu comme elle est grande ? dit Caitlin en patouillant dans le sable humide.

— Il faut que j'aille faire un brin de ménage dans les cottages, mon chaton. Tu viens m'aider ?

Faye regretta aussitôt de lui avoir posé la question. Ne jamais donner le choix à un enfant de cet âge, s'accordaient à dire tous les grands pédagogues. Il fera systématiquement le mauvais choix.

— Non, je reste ici, répondit Caitlin sans lever les yeux.

— Nous prendrons la poussette, insista Faye. Et après, si tu es sage, je te pousserai dans la descente.

Le visage de Caitlin s'illumina.

— D'accord ! dit-elle en sortant à toute vitesse du bac à sable. On y va.

— Attends une minute. Il faut que je mette les draps propres et les produits d'entretien dans la poussette. Profites-en pour aller te laver les mains et passer aux toilettes.

— J'ai pas envie ! décréta la fillette. Mais je veux bien me laver les mains. Je suis sage, hein, m'man ?

M'man. Le cœur de Faye se gonfla de tendresse. Elle aimait tellement cette enfant. Comment pourrait-elle vivre sans elle ? Elle tenterait l'impossible pour l'épargner et préserver son innocence et sa gaieté. Mais irait-elle jusqu'à épouser un homme qui ne l'aimait pas… ?

Eludant la question, Faye prit Caitlin dans ses bras et la fit tournoyer jusqu'à ce qu'elle pousse des cris de joie.

— Tu es la petite fille la plus sensationnelle qui soit !

Il régnait une chaleur de four dans le cottage que Harold et Lorraine avaient occupé. Faye s'empressa d'ouvrir en grand portes et fenêtres. Le ménage serait vite fait. Il n'y avait qu'une chambre, attenante à une minuscule salle de bains, et la kitchenette était intégrée au séjour. Ce bungalow était le plus petit des trois.

Tandis que Caitlin jouait dans le patio avec ses Barbie, Faye s'attaqua à la salle de bains. Elle était en train de refaire le lit lorsqu'elle entendit une voiture s'arrêter dans l'allée et une portière claquer. Elle arrangea ses cheveux et s'approcha de la porte moustiquaire, s'attendant plus ou moins à voir revenir les Sheldon. Mais elle se retrouva nez à nez avec Beth. Kevin, qui n'était pas descendu de voiture, lâcha un instant son volant pour faire au revoir de la main puis repartit aussitôt, pied au plancher.

Beth était en short. Elle avait relevé ses cheveux très haut sur son crâne en une queue-de-cheval qui lui donnait l'air d'une gamine. Qui aurait pu croire en la voyant que derrière ce joli visage se cachaient tant de blessures ?

— Bonjour, Faye, dit-elle, visiblement mal à l'aise. Je suis contente que vous soyez revenue. J'ai renvoyé Kevin parce que... Je tenais à...

Se gardant bien de la brusquer, Faye attendit qu'elle se ressaisisse.

— Puis-je entrer ? demanda la jeune fille. Il faut que je vous parle.

Faye ouvrit la porte, s'effaçant pour laisser passer Beth, qui balaya du regard les produits d'entretien entreposés sur la table de la kitchenette.

— Ils sont partis, murmura-t-elle en hochant la tête. Je dois dire que j'avais un peu de mal à le croire.

— A mon avis, ils ne sont pas partis bien loin.

Beth regarda autour d'elle, comme pour s'assurer qu'elle ne rêvait pas.

— Ils ne vont pas tarder à rappliquer. Lorraine est persuadée d'avoir retrouvé ma fille. Il faut s'attendre qu'elle revienne à la charge. Je suis désolée, pour hier. Je ne savais pas quoi faire, pas quoi dire pour rendre les choses moins pénibles.

— Ça n'a pas été facile, ni pour vous ni pour moi, admit Faye avec douceur.

Elle aimait bien la sœur de Hugh. Elle aurait voulu la voir heureuse et bien dans sa peau. Mais en aucun cas elle ne devait savoir que Caitlin était sa fille.

— Où est Caitlin ? Vous l'avez laissée chez Peg ?

— Non, elle est là. Elle joue dans le patio.

— Comment va-t-elle ? demanda Beth en s'approchant de la fenêtre. Elle n'a pas été trop perturbée par la scène d'hier ? Elle a dû avoir peur, non ?

— Un peu, répondit Faye sans quitter la jeune fille des yeux.

Beth tourna le dos à la porte.

— J'ai eu peur, moi aussi. C'était horrible de voir Lorraine pleurer en serrant Caitlin dans ses bras. Elle a tendance à faire des scènes. Je ne sais pas si elle a toujours été comme ça, mais je suppose que oui. Sinon, pourquoi nous serions-nous enfuis, Jamie et moi ? A moins que ce ne soit l'âge, dit-elle en haussant les épaules. La ménopause perturbe le caractère, paraît-il. Il ne faut pas oublier qu'elle a près de cinquante ans.

Faye dissimula un sourire. Beth était vraiment une gamine. Cinquante ans semblait être pour elle un âge canonique. Sans doute ne s'imaginait-elle pas arrivant jusque-là.

— Elle a le don de me faire perdre tous mes moyens. Quand je suis devant elle, j'ai l'impression de ne même plus savoir comment je m'appelle. J'ignore pourquoi elle me harcèle… Elle pense peut-être que je fais exprès de ne pas me souvenir. Et qu'à force d'insister, elle finira par me faire dire ce que j'ai fait du bébé.

Beth secoua la tête et poussa un soupir à fendre l'âme.

— Elle ne se rend pas compte que je donnerais ma vie pour savoir ce que ma fille est devenue. Elle n'a pas l'air de se douter non plus que des liens très forts se seraient déjà noués entre Caitlin et moi, si elle était réellement ma fille.

Faye sentait son cœur cogner contre sa cage thoracique, comme s'il voulait s'en échapper. Beth n'éprouvait donc rien de particulier pour Caitlin. Elle avait eu raison de ne rien lui dire. Cent fois raison.

— Lorraine était folle de son fils, dit-elle. Sa petite-fille est tout ce qui lui reste de lui. Voilà pourquoi elle a tellement envie de la retrouver.

— Oui, dans un sens, je la comprends. Jamie lui manque. Il était fils unique. Mais ce n'était pas pour autant un enfant gâté. Il vivait dans l'aisance et la facilité mais jamais il ne m'a regardée de haut. C'est en tout cas ce que j'ai écrit dans mon journal. Je n'en ai absolument aucun souvenir. Il a peut-être hérité des gènes de son père. Harold est un brave type, dans le fond. Il m'arrive de discuter avec lui, quand Lorraine n'est pas là. Mais il pensait, lui aussi, que nous étions bien trop jeunes pour élever un enfant et que nous devions le faire adopter.

— Il avait probablement raison.

Beth lissa un faux pli sur la taie d'oreiller qui surmontait la pile de draps.

— Je voulais avoir quelqu'un à aimer, et qui m'aime en retour.

— Toutes les mamans adolescentes sont dans ce cas-là.

— Oui, je sais. Tous les psychologues que j'ai consultés me l'ont dit, et je l'ai souvent lu, aussi. Je sais aussi que je vais devoir me prendre en main, alors épargnez-moi le discours habituel.

Faye éclata de rire.

— Comment avez-vous deviné ?

Beth sourit. Elle avait le même sourire malicieux que Caitlin. C'était la première fois que Faye le remarquait, mais ce détail n'échapperait probablement pas aux Sheldon, songea-t-elle avec effroi.

— Ce n'était pas très difficile. Simple question de bon sens. Pauvre Hugh, qui se donne tellement de mal pour rien ! Il ne peut s'empêcher d'espérer. C'est plus fort que lui. S'il me disait que Caitlin est ma fille, peut-être que je commencerais à avoir des doutes. Mais il pense qu'il s'agit d'une coïncidence. Je le crois, bien sûr. Je sais que je peux avoir confiance en lui.

Elle tapota la taie d'oreiller puis s'empara de la pile de draps.

— Je vais vous aider à faire le lit.

— Merci, c'est gentil, dit Faye, honteuse d'avoir obligé Hugh à mentir à sa sœur.

Elle déplia le drap de dessous et, d'un mouvement leste du poignet, l'étendit sur le matelas. Beth attrapa l'autre extrémité.

— Hier soir, dit la jeune fille, Hugh m'a expliqué pourquoi il était venu ici. C'est à cause des cauchemars. De ce rêve que je faisais tout le temps… avec des papillons.

Elle avait coincé l'oreiller sous son menton pour pouvoir le glisser plus facilement dans la taie. Sa voix était un peu étouffée. En la regardant attentivement, Faye s'aperçut qu'elle tremblait.

— Il me l'a dit, à moi aussi.

— Sa quête n'a pas abouti, puisqu'il pense que Caitlin n'est pas ma fille. Je tenais à ce que vous le sachiez.

Faye enfouit les oreillers sous le couvre-lit, trop heureuse de pouvoir se donner une contenance.

— Caitlin est ma fille, Beth, affirma-t-elle sans oser regarder Beth.

— N'en veuillez pas à Hugh d'avoir attiré les Sheldon ici. Il ne l'a pas fait intentionnellement. De plus, ils sont venus pour rien, puisque nous nous trouvons face à des coïncidences : la date de naissance de Caitlin, les papillons… et tout le reste.

Elle allait ajouter quelque chose mais sembla se raviser.

— Tout cela n'est rien d'autre qu'une suite de hasards, déclara-t-elle encore comme si elle cherchait à s'en convaincre.

— Vous en convenez ?

Beth haussa les épaules et répondit d'un ton las :

— Est-ce que j'ai vraiment le choix ?

Après un court silence, elle ajouta :

— Il y a une chose que j'aimerais vous demander.

— Laquelle ? demanda Faye dans un souffle.

— Comment expliquez-vous qu'une mère puisse ne pas reconnaître son… ?

— *Maman ! Maman !* hurla soudain Caitlin.

196

Beth pâlit et ouvrit de grands yeux terrifiés.

— Mon Dieu ! Que se passe-t-il ?

Faye bondit vers la porte mais Beth l'avait devancée. La jeune fille s'agenouilla maladroitement devant Caitlin et la prit dans ses bras.

— Qu'y a-t-il, mon chaton ? Où as-tu mal ?

En voyant les fleurs coupées éparpillées aux pieds de la fillette, qui tenait contre sa poitrine sa main rouge et tuméfiée, Faye comprit qu'elle venait de se faire piquer par une guêpe.

— Qu'est-ce qui ne va pas, ma petite chérie ? insista Beth, bouleversée.

— J'ai bobo ! se lamenta la fillette en se tournant vers Faye. C'est cette vilaine fleur. Elle m'a piquée.

Surmontant la peine qu'elle ressentait à la vue de sa fille dans les bras de sa mère biologique, Faye s'assit sur l'une des chaises de jardin et prit Caitlin sur ses genoux.

— Voyons un peu ça.

Beth se releva en prenant appui sur l'autre chaise.

— Qu'est-ce qu'elle a ? Rien de grave, j'espère ?

— Une piqûre de guêpe, répondit Faye en lui montrant la main de l'enfant. Le dard est là. Juste sous la peau.

Elle éleva un peu la voix pour couvrir les pleurs de Caitlin et les aboiements d'Addy, qui compatissait à sa manière.

— Maman va essayer de l'enlever. Ne bouge pas, mon chaton. Ce ne sera pas long.

Les sanglots de la fillette redoublèrent tandis que Faye passait le pouce sur la piqûre pour en extraire le dard. L'opération ne prit que quelques secondes, pendant lesquelles Beth, décomposée, ne pipa mot.

— Ça y est. Il est parti, annonça Faye d'un ton enjoué.

Caitlin regarda sa main, l'air incrédule.

— Ça pique encore, dit-elle. Il faut mettre du produit.

— Beth, vous pouvez me rendre un service ?

— Oui, bien sûr.

Elle avait retrouvé ses couleurs et semblait moins paniquée mais l'angoisse se lisait encore dans ses grands yeux bleus.

— Dans la porte du réfrigérateur, il y a une boîte de bicarbonate de soude. Délayez-en une cuillerée dans un verre avec quelques gouttes d'eau. C'est le meilleur remède qui soit contre les piqûres de guêpe.

— Du bicarbonate de soude ? répéta la jeune fille, complètement désemparée. Je ne…

— Mais si, voyons, dit Faye avec douceur. C'est une poudre blanche dans une boîte orange.

— Une boîte orange ? Ah oui ! je sais. On s'en sert pour faire des biscuits. Et pour blanchir les dents.

— Exactement.

Faye avait l'impression de parler à sa fille. Elle adressa à Beth un sourire d'encouragement.

— Rapportez-moi aussi un linge humide. Il y a des chiffons propres sur la table, à côté des produits d'entretien.

— Un linge humide. Pas de problème. Je vois à peu près ce que c'est, dit la jeune fille avec humour.

Cinq minutes plus tard, l'incident était clos. Blottie contre Faye, Caitlin ne pleurait plus. Sa main avait été tartinée de bicarbonate et enveloppée dans un linge humide.

— Je crois qu'elle est en train de s'endormir, murmura Beth.

Faye acquiesça d'un hochement de tête.

— La semaine a été mouvementée. Elle doit manquer de sommeil.

— De la manière dont elle hurlait, j'étais persuadée qu'elle s'était cassé les quatre membres, confessa Beth.

— Elle a la voix qui porte, admit Faye, qui avait le plus grand mal à garder son sérieux.

— J'admire votre sang-froid. Ça n'arrive quand même pas tous les jours ?

Cette fois, Faye ne chercha pas à réprimer son sourire.

— Elle n'a que deux ans et demi, Beth. Les piqûres de guêpe, les bosses et les bobos en tout genre sont le lot de toutes les mères de famille.

Beth se carra plus confortablement contre le dossier de sa chaise.

— C'est vrai. Je n'ai pas l'habitude des jeunes enfants. Je n'en ai pas fréquenté beaucoup, je dois dire. Depuis que mon bébé a disparu, je n'ai jamais osé rester seule avec un enfant.

Faye déglutit. Une soudaine envie de pleurer la prit à la gorge. La culpabilité de Beth lui faisait de la peine, mais elle ne pouvait libérer la jeune fille de son terrible fardeau sans se trahir. Elle baissa les yeux pour se couper de la douleur qui émanait d'elle.

— Vous vous en êtes très bien sortie, avec Caitlin.

— Une fois que j'ai eu repris le dessus, oui. Mais j'ai été un peu longue à la détente. J'étais complètement paniquée.

— Ça n'a duré que quelques secondes.

— Ces secondes-là peuvent être vitales. Un accident est si vite arrivé…

Faye comprit qu'elle ne faisait pas seulement allusion à la piqûre de guêpe de Caitlin, mais elle ne réagit pas. Que pouvait-elle dire ?

Caitlin se redressa comme un ressort.

— Je veux rentrer.

— Et si nous allions regarder un film et boire quelque chose de frais ? suggéra Faye. Nous finirons le ménage du cottage quand il fera moins chaud.

— Je m'en occupe, proposa Beth. Je n'aime pas rester sans rien faire, et Kevin ne va pas revenir tout de suite. Il a promis de m'emmener visiter la serre. Il est plus que temps d'en finir avec cette phobie ridicule. Je ne sais pas d'où me vient cette peur des papillons, mais aujourd'hui, c'est décidé, je vais aller affronter les monstres dans leur tanière.

— J'irai avec vous, si vous voulez. Pour commenter la visite.

— Et me soutenir moralement ? dit Beth en entrant dans le bungalow.

Faye n'était pas très fière.

— Pourquoi pas ? Ce sera sûrement moins dur, s'il y a du monde autour de vous.

Beth lui tint la porte ouverte pendant qu'elle entrait en portant Caitlin dans ses bras.

— Je vous prends au mot. Plus on est de fous, plus on rit, n'est-ce pas ?

Des voitures qui venaient de s'engager dans l'allée leur firent tourner la tête en même temps. La Lexus vert sapin des Sheldon passa devant les cottages.

— Oh non ! s'exclama Beth, qui n'avait plus du tout envie de rire. Ils sont revenus.

Lorsqu'elles virent qu'ils étaient accompagnés du shérif, qui suivait dans une voiture de patrouille, Faye sentit une décharge d'adrénaline la parcourir.

— Le shérif ? s'étonna Beth. Mais qu'est-ce qu'il vient faire ici ?

— Je n'en sais rien, murmura Faye plus morte que vive.

Pendant quelques secondes, elle éprouva un vertigineux sentiment de vide.

— Il vaut mieux que j'aille voir, s'entendit-elle déclarer.

— Non, je vous en prie !

— Je n'ai rien à cacher, mentit Faye avec un aplomb dont elle ne se serait pas crue capable. Ni les Sheldon ni le shérif ne me font peur.

Les yeux bleus myosotis de Beth s'emplirent de larmes. Elle secoua la tête.

— Si je vais avec vous, ils vont recommencer à me harceler.

— Restez ici. Rien ne vous oblige à leur parler.

La jeune fille tremblait comme une feuille, mais Faye ne trouva rien d'autre à lui dire pour la rassurer. Elle aurait eu elle-même grand besoin de réconfort. Le shérif n'était pas venu par hasard. Il entendait probablement vérifier le bien-fondé des accusations portées par Lorraine à son encontre.

Si elle n'arrivait pas à les convaincre de sa bonne foi, son pire cauchemar se réaliserait. Son secret serait révélé au grand jour, et Caitlin lui serait enlevée.

Mais peut-être cela n'avait-il même pas été nécessaire. La disparition du bébé de sa sœur n'étant pas une affaire classée, la police réservait sans doute le meilleur accueil aux personnes susceptibles de la mettre sur une piste.

— J'arrive dans moins de vingt minutes, dit-il en enfonçant la pédale de l'accélérateur.

— Tant mieux. Mais comment se fait-il que tu reviennes si tôt ?

— Les gars du service des eaux ont percé accidentellement une canalisation. L'inondation ayant bloqué l'accès au chantier, nous avons dû tout arrêter. Ne bouge surtout pas. Je fais le plus vite possible.

Il l'entendit soupirer, à l'autre bout de la ligne.

— Il vaudrait peut-être mieux que... j'aille voir ce qui se passe. Je devrais aller parler au shérif, tu ne crois pas ? Lui dire que Caitlin... n'est pas ma fille. Qu'il s'agit juste d'un concours de circonstances. Et que si ce n'était pas le cas, je le sentirais dans mon cœur. Je sais, moi, que mon enfant n'a toujours pas été retrouvé.

— Beth, écoute-moi. Beth !

Elle avait coupé. Il jura entre ses dents et jeta le téléphone cellulaire sur le siège passager. Quinze minutes. C'était le temps qu'il lui fallait pour atteindre la Ferme. C'était plus qu'il n'en fallait à Lorraine Sheldon pour semer la pagaille.

Tandis que le moteur de sa Chevrolet tournait à plein régime, avalant les kilomètres, les rouages de son cerveau se mettaient en branle. Il lui appartenait de trouver une solution. Un compromis acceptable dont ni Beth ni Faye n'auraient à pâtir.

13.

Faye traversa le parking au pas de charge et mit sa fille dans sa poussette. Caitlin et elle n'étaient guère présentables, songea-t-elle en sentant la sueur dégouliner le long de son dos. La fillette avait le visage maculé de larmes et geignait parce que la descente de la pente à toute vitesse était partie remise. Et pour tout arranger, Addy avait décidé de jouer les chiens de garde, et grognait en montrant les dents aux Sheldon et au shérif, qui attendait près de sa voiture, l'air peu engageant.

— Du calme, Addy ! ordonna Faye.

Elle se pencha vers Caitlin et remit en place une mèche de cheveux qui lui tombait sur le front. Elle sentait les trois paires d'yeux rivées sur la fillette et devinait qu'à la vue de sa main bandée et de son air renfrogné, ils devaient tous se poser des questions.

— Va jouer sur ta balançoire, mon chaton. Dès que j'aurai fini de parler, je viendrai te pousser.

— Non, répondit Caitlin en croisant les bras sur sa poitrine avec une moue boudeuse. Je veux rester ici. D'abord, j'ai trop chaud.

Faye amena la poussette à l'ombre du grand érable.

— Et là, ça va mieux ? demanda-t-elle à la fillette qui continuait de bouder.

— Elle s'est blessée ? demanda Lorraine en désignant le bandage. Elle fit un pas vers la poussette mais son mari la retint par le bras.

— Rien de grave, juste une piqûre de guêpe, dit Faye avant de se tourner vers le shérif, à qui elle tendit la main. Je suis Faye Carson. Je vous prie de m'excuser de vous avoir fait attendre. Que puis-je pour vous ?

— Shérif adjoint Gibson, déclama-t-il froidement en touchant machinalement le bord de son chapeau avant de lui serrer la main. Je suis au regret de vous informer que M. et Mme Sheldon, ici présents, ont porté de graves accusations contre vous.

La terreur étreignit le cœur de Faye.

— Quelles accusations ?

— Ils prétendent que vous n'êtes pas la mère de Caitlin. Mais peut-être préfériez-vous que nous poursuivions cette conversation ailleurs qu'en présence de l'enfant ?

— Je suis veuve, adjoint Gibson. Ma fille n'a que deux ans et ne peut rester seule. Elle a chaud, elle est fatiguée et doit se demander ce que vous faites là, tous les trois. Que suis-je censée faire d'elle, pendant que vous m'interrogerez ?

L'homme rougit et baissa le nez, gêné.

— Je comprends, madame.

— Où est Beth ? interrompit Lorraine, les lèvres pincées. Nous avons des questions à lui poser.

— Je n'en sais rien. J'étais en train de faire le ménage dans l'un des cottages quand je vous ai vus arriver. Je suis venue aussi vite que possible.

— Elle doit encore être sortie avec ce garçon avec lequel elle est tout le temps fourrée. Nous n'en tirerons rien, de toute façon. Elle dira qu'elle ne se souvient de rien, comme d'habitude !

204

— Ne sois pas injuste, Lorraine. Tu as vu les rapports médicaux. Beth est *réellement* amnésique.

Faye fut surprise de voir Harold Sheldon contredire sa femme aussi ouvertement. Jusque-là, il s'était toujours montré très effacé et peu causant.

— Je ne sais pas si Beth est malade, mais vous, madame Sheldon, vous semblez hystérique. C'est du moins l'impression que vous m'avez donnée, hier, ne put s'empêcher de lancer Faye.

L'adjoint Gibson demanda :

— Il s'agit bien de Beth Harden, la mère du bébé disparu ?

— Mlle Harden loue avec son frère l'un des cottages depuis plusieurs semaines. Il est ingénieur et travaille sur un chantier, au nord de la ville. Quand M. et Mme Sheldon sont arrivés, il y a quelques jours, ils ont prétendu avoir trouvé mon adresse sur le site Internet de la chambre de commerce. Je ne savais rien des liens qui les unissaient à M. Damon et à sa sœur. Lorsque Mme Sheldon m'a annoncé de but en blanc qu'elle pensait que Beth Harden était la mère biologique de ma fille, je suis tombée des nues. Sous le choc, je leur ai demandé, à elle et à son mari, de vider les lieux.

— Je me mets à votre place, marmonna l'adjoint, un blondinet maigre comme un clou que toute cette histoire semblait ennuyer suprêmement. Mais une partie des allégations de Mme Sheldon s'étant révélées exactes, mon chef m'a chargé de venir vous voir.

— Vous allez m'arrêter ? demanda Faye dans un souffle.

Il passa les pouces sous la ceinture de son arme et la regarda d'un drôle d'air.

— Qui a parlé de vous arrêter ?

— Je suis désolée. Tout cela est tellement pertur-
bant...

— Ce n'est pas banal, en effet. Le mieux, dit-il en se
tournant vers les Sheldon, serait que vous commenciez
par le commencement. J'y verrai peut-être un peu plus
clair. Qu'est-ce qui vous fait penser que Caitlin est votre
petite-fille ?

— Plein de choses, répondit Lorraine.

Harold prit la parole à son tour. Il était en plein soleil et,
gêné, devait plisser les yeux. De grosses gouttes de sueur
perlaient sur son front.

— Caitlin est née le jour où a eu lieu l'accident de voiture dans lequel notre fils a trouvé la mort. Nous avons
ratissé le pays pendant deux ans et demi dans l'espoir de
la retrouver. Nous ignorions que le frère de Beth cherchait
aussi de son côté.

— Il n'est pas venu ici par hasard, coupa Lorraine, qui
était presque aussi rouge que son mari. Je suis persuadée
qu'il avait une idée en tête quand il a amené Beth à la
Ferme des Papillons, tenue par une veuve qui a accouché
seule le jour où notre petite-fille a disparu. Il sait quelque
chose. J'en suis sûre.

Une voiture approchait. Faye sentit son estomac se nouer.
Elle n'avait pas envie qu'on sache qu'elle avait maille à
partir avec la police. Il y avait cependant une chance pour
que ce soit Peg. Sa chère sœur ne la laisserait pas tomber.
Elle n'hésiterait pas à se mouiller jusqu'au cou pour la
tirer du pétrin.

Contre toute attente, le véhicule qui s'arrêta sur le parking n'était pas l'estafette de Peg mais la Chevrolet noire de
Hugh. Et Beth était avec lui. Même si elle l'avait prévenu,
il n'avait pas pu revenir aussi vite. Il avait dû finir plus tôt,

206

pour une raison ou pour une autre, et Beth l'avait mis au courant dès qu'il était arrivé au cottage.

Tandis qu'il se présentait au shérif adjoint, et lui présentait Beth, qui se tenait un peu en retrait, Faye scruta anxieusement l'expression de son visage. Sans parvenir toutefois à y déceler quoi que ce soit. Elle n'avait pas la moindre idée de ce qu'il allait raconter au représentant de police.

— Nous devinons sans peine la raison de votre visite, déclara-t-il sans préambule.

L'adjoint Gibson alla également droit au but.

— Votre sœur est-elle bien la mère du bébé disparu ?

— Oui, c'est bien moi, affirma Beth posément en évitant cependant de regarder les Sheldon.

— C'est quand même une drôle d'histoire. Il ne faut pas se demander pourquoi le shérif a tenu à ce que je vienne voir ça d'un peu plus près.

— Nous comprenons votre démarche, dit Hugh. Et tous, ici, nous espérons retrouver un jour l'enfant de Beth. Mais Caitlin est bien la fille de Mme Carson, et non celle de ma sœur.

L'espace d'un instant, Faye crut qu'elle allait s'évanouir de soulagement. Elle pria le ciel pour qu'on ne vît pas la satisfaction s'afficher sur ses traits. Hugh ne faisait pas cela pour elle, bien sûr, mais pour Beth. Inutile de se leurrer.

— Pouvez-vous le prouver ? demanda le shérif adjoint.

Il s'adressait à Hugh mais regardait Beth, qui garda le silence.

— Si Caitlin n'est pas l'enfant de Beth et de Jamie, qu'êtes-vous venu faire ici ? demanda Lorraine d'une voix haineuse qui détonnait fortement avec son attitude d'habitude si froide et si distante. Et pourquoi avez-vous fait venir Beth ?

Elle avança vers eux, mais Hugh s'interposa entre sa sœur et elle.

— Je suis venu à cause de mon travail, répliqua-t-il.

— Quelque chose vous a attiré ici. J'ignore encore quoi, mais j'ai bien l'intention de le découvrir.

Sans se départir de son calme, et d'une voix égale, Hugh déclara :

— Il n'y a rien à découvrir, Lorraine. Les coïncidences sont troublantes, je le reconnais. La date de naissance de Caitlin, par exemple.

— Madame Carson, votre fille est née à la maison, si je ne m'abuse ? demanda d'un ton formel l'adjoint Gibson en tirant de sa poche un carnet à spirales.

— C'est bien cela. Mon mari étant mort six mois plus tôt, j'étais seule, commença Faye, comme un automate, paniquée à l'idée qu'elle puisse, malgré elle, dire quelque chose qui la trahirait. Les douleurs m'ont prise au milieu de la tempête de glace que nous avons eue il y a trois ans, au mois de novembre. Le téléphone était coupé et les routes impraticables.

— Durant cette grossesse, vous ne vous êtes fait suivre par aucun médecin. Je me trompe ?

La question lui faucha les jambes et Faye crut qu'elle allait défaillir. Personne ne la lui avait jamais posée. On l'interrogeait toujours sur l'accouchement lui-même, pas sur ce qui l'avait précédé.

— Non, répondit-elle d'une voix qui chancela à peine. Vous êtes décidément bien renseigné ! Mais… après la mort de mon mari, j'ai eu une sorte de passage à vide. Je me suis repliée sur moi-même. Grâce à Dieu, ma grossesse s'est très bien passée et Caitlin est née en parfaite santé.

Faye veillait à ne jamais broder sur la part de vérité que comportaient ses mensonges. Tout en parlant, un doute affreux s'insinua dans son esprit. La police, ou les Sheldon, ou même Hugh, iraient-ils jusqu'à rechercher au fin fond du Mexique ce médecin qui l'avait examinée juste après l'accident ? La preuve serait alors établie qu'elle n'avait pas pu accoucher, puisque le médecin avait constaté sa fausse couche.

— Vous avez déclaré la naissance de votre fille auprès des services de l'état civil six jours après l'accouchement.

— En effet. Si j'ai attendu autant, c'est parce que je ne me sentais pas la force de conduire. En plus, j'avais peur du verglas.

— Je trouve incroyable que dans cet Etat, il suffise de se présenter avec un bébé dans les bras pour prouver qu'on en est la mère ! persifla Lorraine avec hauteur.

— Nous ne sommes pas là pour faire le procès du système législatif en vigueur dans l'Ohio, rétorqua sèchement le shérif adjoint.

— Caitlin n'est pas ma fille, affirma Beth d'une voix tremblante en retenant ses larmes. Personne ne veut me croire, mais je répète que je ne me rappelle pas être déjà venue ici. Ni avoir vu Faye avant que mon frère me la présente.

— Si seulement tu avais accepté d'aller consulter cette hypno…

— Non ! C'est hors de question. Ce qui s'est passé ce jour-là, je ne le saurai probablement jamais, même si vous me traîniez chez tous les plus grands spécialistes de la terre. Arriverez-vous un jour à le comprendre ?

— Tout ce que je comprends, c'est que mon fils est mort à cause de toi, et que le seul réconfort que je pourrais avoir, ma petite-fille, est peut-être également morte par ta faute.

C'était la deuxième fois que Faye voyait Lorraine perdre son calme et pleurer en public.

— Chut ! Lorraine. Ne dis pas n'importe quoi, ou tu vas encore le regretter.

Harold passa un bras autour des épaules de sa femme et l'attira contre lui. Il paraissait très vieux, tout à coup, et tellement triste que Faye ressentit de la pitié pour cet homme qui pensait sans doute ne jamais connaître sa petite-fille.

La tête lui tourna et un tourbillon de honte, de frayeur et de regrets s'abattit sur elle.

Hugh tenait Beth par les épaules. Faye, elle, n'avait personne pour la soutenir et la réconforter.

Elle aurait tant aimé, pourtant, qu'un homme prenne la place que Mark avait occupée dans son cœur, autrefois. Mais Hugh, qui occupait déjà toutes ses pensées et l'attirait irrésistiblement, était inaccessible.

— Maman, gémit soudain Caitlin en tirant sur le bas de son short. J'ai soif. Je veux boire.

La fillette se tourna vers les Sheldon et pointa sur eux un doigt accusateur.

— Vous êtes méchants. Allez-vous-en !

Ce jugement sans appel eut pour effet de sécher instantanément les larmes de Lorraine.

— Ne sois pas fâchée, mon chaton, dit-elle d'un ton cajoleur. Moi, je t'aime.

Faye faillit lui crier de ne pas appeler Caitlin par ce surnom qu'elle lui avait donné quelques heures après sa naissance, à causes de ses vagissements semblables à des miaulements.

— Eh ben moi, je t'aime pas ! s'écria la fillette. Je veux que vous vous en alliez.

— Allez-vous-en, je vous en prie. Ma fille en a assez vu et assez entendu. Adjoint Gibson, n'est-il pas évident que Mme Sheldon, aveuglée par son chagrin, n'a pas vu que son hypothèse était erronée ?

Détournant les yeux de Caitlin, Lorraine fixa intensément le shérif adjoint.

— Attendez, dit-elle d'une voix vibrante. Il y a sûrement quelque chose à faire. Vous pouvez soumettre Mme Carson à des analyses de sang, à des tests ADN. Vous n'avez rien d'autre que sa parole contre la mienne. Or je suis convaincue que Caitlin est ma petite-fille. Je le sais. Je le sens.

— Je refuse, déclara aussitôt Faye que la gravité de la situation rendait soudain plus forte et plus déterminée.

Lorraine la scruta d'un air soupçonneux.

— Pourquoi vous y opposez-vous, si vous n'avez rien à craindre ?

— J'estime que je n'ai pas à répondre à vos accusations injustifiées. Vous m'avez fait perdre assez de temps comme ça, figurez-vous. Partez d'ici tout de suite, et ne revenez jamais !

« Sois forte ! Ne te laisse pas faire ! » soufflait à Faye une petite voix amie, venue l'aider à surmonter la panique qui la gagnait.

— Adjoint Gibson…, commença Lorraine d'une voix qui avait de nouveau gagné huit octaves.

— Ce n'est pas de mon ressort, madame. Tout ce que je peux faire, c'est en référer à mon chef. Il se mettra en contact avec la police de l'Indiana qui décidera de la marche à suivre.

— Comment ? s'indigna Lorraine. Est-ce à dire que Mme Carson est libre de quitter le pays avec l'enfant si ça lui chante ?

Le shérif adjoint embrassa du regard la serre, la pelouse et le jardin.

— Cela me semble assez improbable, rétorqua-t-il sans chercher à cacher son irritation. Sans vouloir vous offenser, je vous conseille, à vous et votre mari, de partir sans délai, comme Mme Carson vous l'a instamment demandé. Il serait dommage que les choses s'enveniment davantage.

— Je ne bougerai pas d'ici. Pas tant que je n'aurai pas obtenu gain de cause. Je m'adresserai à une instance supérieure, qui pourra contraindre Faye Carson à accepter ces tests. Mon mari est un homme riche et influent, adjoint Gibson. Nous avons des amis haut placés. Ils savent quel a été mon calvaire et veilleront à ce que nous obtenions satisfaction.

— Faites comme bon vous semble, madame. Je ne suis pas à même de prendre une décision, et en attendant d'être mandaté par quelqu'un qui le soit, je ne peux rien faire de plus. Regagnez votre motel. Protégez-vous du soleil et reposez-vous. Je vous contacterai dès que j'aurai du nouveau.

Sur cette fin de non-recevoir, polie mais définitive, le shérif adjoint toucha le bord de son chapeau et tourna les talons.

Il monta dans sa voiture de patrouille et démarra, les plantant tous là. Figés comme des statues, ils se regardèrent sans savoir quoi se dire.

— J'ai soif ! geignit Caitlin.

Faye la prit dans ses bras.

— Allez-vous-en, dit-elle d'un ton las. Tous.

— Je ne plaisantais pas, lança Lorraine tandis que son mari l'entraînait vers leur voiture. Je ne vous laisserai pas tranquille tant que je n'aurai pas la preuve absolue que Caitlin n'est pas ma petite-fille.

— Est-ce une menace ?

— Cela va dépendre de vous. S'il faut employer les grands moyens, nous prendrons un avocat et vous intenterons un procès en bonne et due forme. Mais notre différend peut aussi se régler en quelques jours. Je suis prête à payer les analyses qui me prouveront que Caitlin est votre fille.

— Refusez, Faye, dit Beth d'une voix aussi calme que la surface d'un étang. Rien ne vous oblige à lui prouver quoi que ce soit.

Une longue minute s'écoula pendant laquelle Faye chercha désespérément un moyen de sortir du piège que Lorraine lui avait tendu. Elle avait de plus en plus de mal à structurer sa pensée, à garder son calme. La panique, sourde et intolérable, menaçait de l'engloutir. Si elle acceptait de se soumettre aux tests, elle était perdue. Mais en refusant, elle se condamnait tout aussi sûrement.

Lorraine lui jeta un regard triomphal.

— Notre avocat se mettra en contact avec vous. A moins que le shérif ne décide de prendre les choses en main.

— Nous sommes à l'Auberge du Liban, à Carrington, dit Harold. Si vous voulez nous parler, c'est là-bas que vous nous trouverez.

Sur le point d'ajouter quelque chose, il se ravisa et aida Lorraine à s'installer dans la Lexus avant d'en faire le tour et de se glisser derrière le volant.

Faye tremblait de la tête aux pieds et son cœur battait à tout rompre dans sa poitrine. Fermant les paupières comme pour puiser en elle une force qui lui faisait défaut, elle essaya de se contrôler. Elle n'osait pas regarder Beth et Hugh, tant elle craignait de s'effondrer.

Elle se dirigea d'un pas incertain vers la pompe et posa Caitlin par terre pour en actionner le mécanisme.

Qu'allaient-elles devenir, Caitlin et elle ? Combien de temps encore Faye parviendrait-elle à tenir tête aux Sheldon ?

Elle s'agenouilla et tendit à Caitlin la louche pleine d'eau fraîche. La fillette but goulûment. Elle s'essuya le menton de sa main bandée et gratifia Faye d'un grand sourire mouillé.

— Et mon gâteau ? demanda-t-elle d'un petit air ingénu.

Quel amour ! songea Faye en regardant sa fille avec adoration. Elle aimait Caitlin plus que la vie elle-même. Des larmes lui vinrent aux yeux, qu'elle s'empressa de refouler avec force clignements de paupières quand elle sentit la présence de Hugh, dans son dos. Elle ne le considérait plus comme un ennemi, mais pouvait-elle aller jusqu'à voir en lui un allié ? Un mari ? Si elle lui confiait son secret, l'aiderait-il à trouver un moyen de garder Caitlin ? Ou en profiterait-il, au contraire, pour l'enfoncer davantage et lui prendre sa fille ?

14.

Faye vécut les jours suivants dans l'angoisse. Mais contre toute attente, elle n'eut aucune nouvelle ni des Sheldon ni de l'adjoint Gibson. Hugh lui-même semblait l'éviter. Les festivités du 4 juillet, auxquelles ils devaient tous assister, ne se prêtaient pas vraiment aux discussions en tête à tête, mais s'il l'avait voulu, Hugh aurait pu trouver ici ou là un moment pour lui parler. Peut-être regrettait-il de l'avoir embrassée ? Ou de lui avoir suggéré de l'épouser ?

Un événement marqua cependant ce long week-end : Beth se décida enfin à aller voir les papillons.

Au beau milieu de l'après-midi du samedi, Faye se trouvait derrière son comptoir lorsque le chuintement de la porte à fermeture pneumatique lui fit lever le nez de sa comptabilité. Stupéfaite, elle vit Beth pénétrer à l'intérieur du sanctuaire, guidée par Caitlin qui la tenait par la main. Les papillons virevoltaient en tous sens, butinaient ou prenaient le soleil sur les rocailles.

— Qu'est-ce que vous faites là, toutes les deux ? demanda Faye en s'empressant de les rejoindre. Je vous croyais au bord du lac, avec les autres.

Beth et Caitlin avaient enfilé des T-shirts par-dessus leurs maillots de bain. Toutes deux arboraient de superbes tongs rose fuchsia que Beth avait dénichées la veille dans un marché aux puces.

— Caitlin vous réclamait. Tant qu'à faire, j'ai pensé que nous pourrions en profiter pour aller rendre visite aux papillons.

Son sourire était contraint. Elle semblait aussi tendue que Faye, qui craignait secrètement que la vue des papillons ne lui fasse recouvrer la mémoire.

— Faut surtout pas toucher ! Ils sont très fragiles, prévint Caitlin en levant doctement un index d'une propreté douteuse.

— Ne t'en fais pas, je ne risque pas de les toucher ! répliqua Beth.

Son petit rire nerveux inquiéta Faye.

— Vous croyez que vous allez tenir le coup ?

— Je vais essayer. Le mot phobie ne signifie pas grand-chose pour Caitlin. Elle tient à ce que je voie *tous* les papillons.

— Ne vous sentez pas pour autant obligée de rester.

— Même si ce n'est pas vraiment une partie de plaisir, je préfère rester. Je m'étais promis de venir, souvenez-vous.

Tout en parlant, elles s'étaient dirigées vers la rocaille et Beth s'était assise au bord du bassin, à côté de Caitlin qui se dépêcha d'enlever ses tongs et de tremper ses orteils dans l'eau en surveillant du coin de l'œil la réaction de Faye. Il faisait si chaud que Faye n'eut pas le cœur de lui interdire de mettre ses pieds dans l'eau.

— Faut pas éclabousser, dit la fillette, histoire de montrer qu'elle connaissait les règles. Les papillons n'aiment pas avoir les ailes mouillées.

Un sphinx à tête de mort se posa près de Beth, les antennes frémissantes. Elle l'observa sans rien dire puis, détournant les yeux, elle soupira.

216

— Il ne se passe rien. Strictement rien, murmura-t-elle. Et moi qui espérais que la vue des papillons ouvrirait une porte dans ma mémoire…

— Vous faites toujours ce rêve étrange ?

— Non. Il n'y a plus de papillons ni de sang sur la neige. Mais… je continue de rêver d'elle. Je l'entends pleurer et je la cherche partout, désespérément.

Pendant qu'elle parlait, Caitlin s'était mise à battre des pieds dans l'eau. De plus en plus fort.

— Caitlin ! cria Beth lorsqu'elle eut le dos trempé.

Faye, qui avait eu la sagesse de s'asseoir sur un banc, un peu en retrait, se leva pour prendre sa fille dans ses bras.

— On n'a pas le droit de mouiller les autres. Tu le sais bien, pourtant.

— Oui, mais là, je l'ai pas fait exprès.

Dérangés, les papillons qui se chauffaient au soleil quittèrent brusquement la rocaille et mirent le cap sur les mangeoires.

— Moi aussi, je vole, dit Caitlin en écartant les bras.

— Tu vas voler vers ta chambre. Il est l'heure de la sieste.

— Je peux garder la serre, pendant que vous allez la coucher, proposa Beth.

— C'est très gentil à vous, mais je ne voudrais pas abuser.

— Mais non, voyons ! J'ai le temps, et ça me fait plaisir.

La gentillesse de Beth rendait encore plus lourd le poids que Faye avait sur la conscience. Une fois de plus, elle fut tentée de lui dire la vérité. Beth ne lui prendrait pas Caitlin ; elles s'arrangeraient toutes les deux pour que Faye puisse conserver la garde de la fillette. Mais il y avait les Sheldon.

Leurs menaces d'attenter une action en justice contre elle la dissuadèrent finalement de se confier à Beth.

— Je crois que nous n'aurons pas grand monde cet après-midi, dit Faye. Ce soir, il y a le barbecue, en ville, suivi des feux d'artifice. Allez rejoindre les autres. Si une voiture arrive, vous la verrez bien venir, depuis le lac.

Un papillon feuille géant, qui lui effleura l'avant-bras en passant, acheva de la convaincre.

— Bon, d'accord.

— Je n'ai pas sommeil, décréta Caitlin qui se mit à gesticuler pour qu'elle la repose par terre. Je veux aller jouer. Laisse-moi descendre.

A quoi bon insister ? Quand la fillette était dans cet état d'esprit, la mettre au lit ne servait à rien.

— En ce cas, je vous accompagne au lac.

Si elles s'asseyaient sur la balancelle, il y avait de grandes chances pour que Caitlin s'endorme sans s'en rendre compte.

Elles n'avaient pas fait trois pas qu'elles tombèrent sur Kevin, venu à leur rencontre.

— Je te cherchais, dit-il à Beth en scrutant son visage.

— J'étais juste allée voir les papillons, répondit la jeune fille d'un ton désinvolte avant de lui prendre le bras.

Elle empruntait toujours le même chemin à travers la prairie et répertoriait tous les papillons qu'elle voyait dans un rayon de cinq mètres autour d'elle. Le soleil déclinant à l'horizon, les papillons commençaient à regagner leurs pénates, aussi y en avait-il beaucoup. Elles avaient laissé Steve à sa partie de pêche, tandis que les plus jeunes jouaient à cache-cache sous les arbres. Hugh avait promis de garder un œil sur Caitlin qui s'était, comme prévu, endormie dans la balancelle sur le ponton.

— Oui, ça se pourrait bien, répondit Faye en montrant à Peg, chargée de prendre des notes, cinq superbes vice-rois aux ailes jaune d'or qui butinaient des trèfles.

— J'espère qu'elle n'est pas en train de se préparer un nouveau chagrin d'amour.

— C'est plutôt Kevin qui va souffrir, quand Beth et Hugh vont rentrer au Texas.

Le sourire de Faye s'éteignit car elle-même appréhendait ce départ. Quand aurait-il lieu ? Comment réagirait-elle ?

Elle se retrouverait seule, de nouveau.

Sentant sans doute son désarroi, Peg tenta de lui remonter le moral.

— Encore une chance que Lorraine ne se soit pas manifestée, ces jours-ci…

— Je préférerais savoir à quoi m'en tenir, confia Faye.

— Je te comprends. Lorraine mijote quelque chose ; c'est évident. Je la sens prête à tout pour arriver à ses fins.

— Rien ne la fera jamais reculer, ni homme ni bête. Dieu sait pourtant que j'aimerais pouvoir me débarrasser d'elle !

Désireuse de changer de sujet au plus vite, Faye montra à sa sœur un couple de morios, puis un sphinx qu'elle avait déjà repéré les semaines précédentes.

— A part les monarques, pour moi ils se ressemblent tous, déclara Peg en refermant le carnet, peu de temps après.

La main en visière au-dessus des yeux, elle regarda en direction du lac.

— C'est bien calme, tout à coup. Je ferais mieux d'aller voir ce qui se passe. D'ici à ce que les garçons aient attaché Beth et Kevin à un arbre…

Mais pour une fois, Jack et Guy étaient sages comme des images. Penchés au-dessus de la partie peu profonde du lac, ils semblaient observer quelque chose, à l'instar de Beth, Kevin, Steve et Hugh.

Hugh, qui avait promis à Faye de ne pas quitter des yeux la balancelle, avait pris Caitlin dans ses bras. La fillette dormait contre son épaule. Faye sentit son cœur bondir dans sa poitrine lorsqu'il lui sourit.

— Qu'est-ce que vous regardez ? demanda Peg à ses fils qui, accroupis sur leurs talons, parlementaient avec Kevin, à croupetons lui aussi.

— Une tortue, cria Jack, visiblement très excité.

Caitlin ouvrit un œil et demanda, en nouant ses bras autour du cou de Hugh :

— Qu'est-ce que c'est ?

— Viens voir toi-même, répondit Guy.

— Si c'est une tortue mordante, je ne veux pas la voir, gémit Peg.

— Vous croyez que je serais dans cette position, si c'était une tortue mordante ? rétorqua Kevin.

Tout le monde s'esclaffa.

— C'est une tortue commune, dit Steve. Mais elle est énorme. Je comprends, maintenant, pourquoi Hugh et moi, nous nous faisions voler tous nos appâts !

Peg et Faye s'avancèrent pour voir l'animal de plus près. Sans se préoccuper des regards braqués sur elle, la tortue essayait maladroitement de redescendre dans le lac. Caitlin, qui l'observait avec attention, se trouvait devant Beth. Les rayons obliques du soleil couchant allumaient des reflets dorés dans leurs chevelures blondes, si semblables.

Faye avait l'impression que Beth et Caitlin se ressemblaient de plus en plus. Mais peut-être était-ce seulement que jusque-là, elle n'avait pas voulu voir cette ressemblance...

— Berk ! Elle sent mauvais, fit remarquer Caitlin.

— Je vais aller la porter dans le ruisseau, dit Kevin. Il faut qu'elle se nourrisse de grenouilles et de vairons, comme n'importe quelle tortue. Elle va finir par faire du lard si on la laisse avaler les vers de vase qu'on met au bout de nos lignes.

— On t'accompagne ! s'écrièrent en chœur les garçons.

— Eh bien, moi, je reste, dit Beth, que la perspective de crapahuter à travers champs par cette chaleur rebutait. Je vais aller vous chercher des boissons fraîches.

Kevin lui jeta un regard énamouré.

— Tu es une vraie mère. Il faut que je t'embrasse.

— On verra ça plus tard.

L'air solennel, comme s'il était investi d'une mission de la plus haute importance, Kevin prit avec précaution la tortue, dont la tête et les pattes disparurent instantanément, et se mit en route, escorté de ses deux ministres.

— Venez, Hugh, appela Steve. Notre concours de pêche va pouvoir reprendre. Et cette fois, ça devrait mordre !

— Espérons-le ! répondit Hugh en riant.

— C'est l'heure de goûter, déclara Caitlin, qui avait une horloge dans l'estomac.

— Mais tu viens de...

Faye s'interrompit en voyant une voiture verte s'arrêter sur le parking, près de la serre.

— J'ai parlé trop vite, grommela Peg. La voilà qui revient.

C'était effectivement Lorraine Sheldon. Lorsque Faye la vit sortir de la voiture, seule et l'air plus décidé que jamais, elle sut d'instinct qu'il ne s'agissait pas là d'une simple visite de courtoisie.

— Qui c'est ? demanda Caitlin en tendant le cou pour voir de qui parlait Peg. Ah ! C'est encore elle. La méchante dame !

Réprimant un sourire, Peg échangea avec Faye un regard entendu tandis que Lorraine approchait de sa démarche souple et énergique.

— Bonjour, Caitlin, dit-elle en s'agenouillant devant la fillette. Comment vas-tu ? Tu t'es baignée, à ce que je vois ?

— Oui, répondit Caitlin de mauvaise grâce.

— Tu sais, il y a une grande piscine, là où j'habite. C'est un peu loin, mais un jour, tu pourras peut-être venir me voir. Nous pourrons nous baigner ensemble.

Caitlin secoua la tête.

— Non, j'ai pas envie. D'abord je vous aime pas. Vous êtes méchante.

— Steve, nous devrions aller faire goûter Caitlin, suggéra Peg.

— Oui, c'est une bonne idée, dit Faye, reconnaissante à sa sœur et à son beau-frère de voler à son secours, une fois de plus.

Steve prit la fillette dans ses bras et ils s'en allèrent tous les trois.

— Vous l'avez montée contre moi, accusa Lorraine.

— Non. Je ne tiens pas à la mêler à tout ça. Caitlin ne vous connaît pas. Et en plus, vous lui faites peur.

— A qui la faute ? Reconnaissez que vous ne me facilitez pas la tâche.

— Rien ne l'oblige à favoriser un quelconque rapprochement entre sa fille et vous, fit remarquer Beth, qui semblait avoir perdu tout son entrain.

Hugh ne dit rien mais il fit un pas vers sa sœur et posa les mains sur ses épaules. La signification implicite de

222

son geste n'échappa pas à la mère de Jamie. Elle parut un instant déstabilisée. Ses lèvres frémirent et son visage trop lisse se fripa.

— Beth, dit-elle en tendant vers la jeune fille une main tremblante. Tu ne veux pas savoir ce qu'est devenu ton bébé ?

Faye observait Lorraine en silence. Les fines rides qui griffaient le coin de ses yeux et de sa bouche, le sillon qui s'était creusé sur son front lui donnaient soudain l'air plus âgé. En la voyant prête à s'effondrer, Faye eut presque pitié d'elle. Lorraine avait perdu son fils et sa petite-fille. C'était une femme brisée.

Il ne tenait qu'à Faye de lui rendre sa joie de vivre. Mais c'était beaucoup trop risqué.

— Combien de fois devrais-je vous le répéter ? Vous êtes venue pour quoi, au juste ? demanda Beth.

Sa voix tremblait mais elle ne bafouillait pas et regardait Lorraine droit dans les yeux, le menton relevé.

— Je voulais vous donner une dernière chance de coopérer. Dans l'intérêt de Caitlin. Dans votre intérêt à tous.

— Vos menaces ne me font pas peur, rétorqua Faye. Ni ma fille ni moi ne nous soumettrons jamais à aucun test sanguin, ni à aucun autre de vos caprices.

Lorraine prit une profonde inspiration. Ses narines frémirent lorsqu'elle expira.

— En ce cas, vous ne me laissez pas le choix. Je vais vous attaquer en justice et vous obliger à prouver, d'une manière incontestable, que Caitlin n'est pas ma petite-fille.

— Non, vous ne pouvez pas faire une chose pareille ! s'écria Beth. Où est Harold ? Est-il au courant de vos intentions ?

— Mon mari a été rappelé à Boston pour des raisons professionnelles. Mais je n'ai pas besoin de sa permission.

223

Ni même de son entremise. J'ai moi-même des relations et des amis hauts placés, tout prêts à m'aider. Bon gré mal gré, vous devrez coopérer.

Elle posa sur Faye un regard implacable.

— Tous, autant que vous êtes.

La lune était voilée et l'air sentait la pluie. Cela tombait mal, songea Faye en glissant le baby-phone dans sa poche. Steve avait prévu de faucher et de ramasser les foins dans les prochains jours. La pluie risquait de compromettre la moisson.

Des pas sur le gravier lui firent tendre l'oreille. A l'abri du grand érable, Faye scruta les ténèbres. La criminalité était très faible dans la région, mais elle ne tenait pas à se trouver nez à nez avec un vagabond égaré dans sa cour.

— C'est moi, Faye. N'ayez pas peur.

La voix de basse semblait émaner de la nuit elle-même. Elle précéda d'une demi-seconde l'apparition de Hugh dans le faisceau de la veilleuse.

— Beth a oublié son baladeur, cet après-midi. Elle vient d'appeler pour me demander de venir le chercher.

Hugh ne s'était pas couché. Il n'avait donc pas sommeil, lui non plus.

— Il était sur la table de jardin. En fin d'après-midi, je l'ai rangé dans la serre, pour plus de sûreté. Je vais le chercher.

— Non, ne vous dérangez pas ; il n'y a rien d'urgent. Du moment qu'il est à l'abri.

— Cela ne me dérange pas. Je n'en ai que pour une minute.

— Je suis désolé de vous avoir fait peur.

— Je n'ai pas eu peur, mentit Faye dont le cœur n'avait toujours pas retrouvé un rythme normal. J'étais sortie respirer un peu d'air frais avant de me coucher.

Comme si elle avait passé la journée enfermée ! Son excuse était d'autant plus boiteuse que l'air, ce soir-là, était franchement irrespirable.

— Je vous accompagne.

Arrivés à la serre, il attendit qu'elle ait déverrouillé la porte et poussa à sa place le lourd vantail, lui effleurant le bras au passage.

Troublée, elle se dirigea vers le comptoir, avançant au jugé car on n'y voyait pas grand-chose.

— Le voilà, dit-elle dès qu'elle eut mis la main sur le baladeur.

— Merci.

Pour l'un comme pour l'autre, la communication était difficile à établir. Faye se serait sentie infiniment plus à l'aise si Hugh ne lui avait pas fait l'autre jour cette proposition insensée, suscitant en elle une foule de désirs et de souhaits qui resteraient à jamais insatisfaits.

— Je vais vous laisser aller vous coucher.

— Vous n'aimeriez pas voir la serre au clair de lune ? lança-t-elle tout de go, étonnée elle-même de son audace.

— La lune n'éclaire pas beaucoup, ce soir. D'ailleurs, il commence à pleuvoir.

Elle ne vit pas son sourire amusé, mais elle le devina au son de sa voix.

— Les veilleuses remplissent le même office. C'est… juste un peu moins romantique. Je parie que vous n'avez pas encore vu mes orchidées nocturnes, enchaîna-t-elle. Peg dit que c'est mon jardin lunaire.

Il reposa le baladeur sur le comptoir.

— J'ai très envie de voir votre jardin lunaire.

L'air, à l'intérieur de la serre, était encore plus étouffant. Le jasmin et les orchidées exhalaient leurs parfums enivrants. Un piano, en fond sonore, égrainait les notes d'une étude de Chopin, Faye ayant oublié d'éteindre la sonorisation.

Ils se dirigèrent sans bruit vers la rocaille. Au doux murmure de la cascade répondait celui de la pluie qui martelait le toit de verre.

— C'est vrai que de nuit, l'ambiance est très différente.

Faye acquiesça d'un signe de tête, que Hugh ne vit probablement pas.

— Il m'arrive de venir, parfois, quand Caitlin dort. J'aime m'asseoir ici pour regarder les papillons.

Et rêver. Elle le pensa si fort que Hugh aurait presque pu l'entendre.

— Beth m'a dit qu'elle était venue avec Caitlin, cet après-midi, avant que Lorraine Sheldon ne débarque.

— Elle est venue, mais elle n'a pas recouvré la mémoire pour autant.

Elle aurait mieux fait de se taire. Les mots avaient jailli spontanément sans qu'elle puisse rien faire pour les arrêter.

— N'allez surtout pas croire, Faye, que j'essayais de vous soutirer des renseignements.

Elle enfonça les mains dans les poches de sa robe pour les empêcher de trembler.

— Je n'en ai aucun à vous donner.

Faye soupira intérieurement. Entre eux, ce serait toujours ainsi. Comme elle, Hugh se tairait. Mais pas pour les mêmes raisons qu'elle.

— Je sais que vous cherchez à protéger Beth.

— Je cherche à vous protéger toutes les trois.

226

Il s'avança vers elle, si près qu'elle perçut la chaleur de son corps athlétique à travers l'étoffe légère de sa robe d'été. Allait-il de nouveau l'embrasser ?

Elle s'imagina, l'espace d'un instant fantasque, en train de soulever ses cheveux pour permettre à Hugh de descendre la fermeture à glissière de sa robe. Elle se retrouverait nue dans ses bras... puis dans son lit. Si ses caresses étaient aussi ardentes que ses baisers...

— Je vous ai trouvé une avocate, déclara-t-il soudain. Une spécialiste du droit de la famille qui m'a été vivement recommandée par une amie. Je veux que vous la contactiez dès demain à la première heure.

Ce n'était pas du tout ce que Faye s'attendait à entendre.

— Une avocate ? dit-elle, un peu éberluée.

Peg et Steve lui avaient eux-mêmes conseillé de prendre un avocat, mais elle n'en avait rien fait. Elle préférait pratiquer la politique de l'autruche plutôt que de tenter la Providence en se mettant prématurément dans la position de l'accusée.

— Je vous remercie. Je... vais y réfléchir.

— Il n'est plus temps de réfléchir, Faye. Il faut agir. Je vous demande instamment de l'appeler dès demain matin.

— C'est à moi de décider, il me semble ! rétorqua-t-elle d'un ton acerbe.

Ce serait pourtant si simple et tellement sécurisant, songea-t-elle avec regret, de le laisser faire. Mais Hugh n'était pas là pour la protéger.

— Faites-le pour Caitlin, insista-t-il.

— Votre proposition va à l'encontre des intérêts de Beth. Vous pourriez, votre sœur et vous, avoir besoin des services de cette avocate.

— Il est de notre intérêt à tous que vous soyez le mieux défendue possible. Suivez mon conseil, Faye, dit-il en lui posant une main sur l'épaule. Puisque c'est la seule chose que vous me laissiez vous offrir.

— C'est la seule chose que je puisse accepter, répliqua-t-elle le cœur battant.

Il garda le silence pendant quelques secondes. Puis il exhala un léger soupir. Faye sentit la chaleur de son souffle sur son visage.

— Il y a encore une chose, pourtant, que j'aimerais vous demander, dit-il d'une voix un peu rauque.

— Je... n'ai rien d'autre à donner, murmura-t-elle.

— Oh, que si !

Il pencha la tête et elle ne vit plus ni les papillons de nuit, ni les gouttes de pluie qui s'écrasaient sur le toit, ni même la lumière de la veilleuse filtrant à travers les branches des fougères qui entouraient la cascade. Seulement ce visage près du sien.

En proie à un vertige de passion, elle ferma les paupières, noua ses bras autour du cou de Hugh et lui abandonna ses lèvres, redécouvrant, émerveillée, la sensation d'être aimée. Et tandis que les pointes de ses seins durcissaient sous la dentelle de son soutien-gorge et qu'une douce chaleur s'immisçait peu à peu au creux de son ventre, le désir monta en elle, impérieux.

Hugh laissa échapper un gémissement rauque et la pressa contre lui, avide de la sentir plus proche. Il vibrait contre son ventre, dur et insistant. Les jambes de Faye ne la portaient plus ; elle se raccrochait à lui, ivre de désir. La voix de la raison avait cessé de raisonner dans ses oreilles. Elle n'entendait plus que les battements sourds de son cœur. Et à ce bruit lancinant, se mêlait l'odeur des orchidées dont les effluves suaves, entêtants, opéraient leur magie silen-

cieuse. Qu'y aurait-il de mal à faire l'amour dans la serre ?
A partager avec Hugh quelques instants de plaisir ?

Lorsque Hugh mit brutalement fin à leur baiser et s'écarta
d'elle, Faye crut qu'elle allait mourir de déception.

— Hugh ?

Il parut faire un immense effort pour se ressaisir.

— Une minute de plus et je ne répondais plus de rien.

— Au diable les conséquences ! murmura-t-elle, exaltée.

— Vous pourriez le regretter.

Il avait parfaitement raison. Elle avait suffisamment
d'ennuis sans risquer de s'en attirer d'autres en ayant des
rapports non protégés.

— Je suis désolée, murmura-t-elle.

Hugh lui caressa les lèvres du bout de l'index. Puis il la
regarda longuement, intensément, comme pour imprimer
dans sa mémoire chaque trait de son visage, et déclara :

— Je suis en train de tomber amoureux de vous, Faye,
morceau par morceau. Le processus a commencé le jour
où je vous ai rencontrée.

Elle secoua la tête et prononça des mots durs et cruels,
aussi douloureux à entendre que la souffrance qu'ils lui
causaient.

— Voilà justement pourquoi ça ne marchera jamais entre
nous. Nous n'avons rien d'autre à nous offrir, vous et moi,
que des morceaux de nos cœurs.

15.

— Si tu restes sagement assise sur ta balançoire, je te promets qu'après dîner, nous t'emmènerons manger une glace, Kevin et moi.

— D'accord, dit Caitlin sans grande conviction.

On sentait à son ton qu'elle avait envie de n'en faire qu'à sa tête. Beth elle-même, qui ne la connaissait pourtant que depuis quelques semaines, trouvait qu'elle avait changé, récemment. Son caractère s'affirmait un peu plus chaque jour. Un matin de bonne heure, pendant que Faye était descendue ouvrir les panneaux coulissants de la serre, la fillette, trouvant trop longues les cinq minutes qu'il lui aurait fallu attendre, avait entrepris de préparer seule le petit déjeuner. Faye, Beth — et Addy — avaient mis près d'un quart d'heure à nettoyer la cuisine. N'empêche que Caitlin avait réussi à prendre seule le paquet de céréales dans le placard, le lait dans le réfrigérateur, son bol et sa cuiller dans le lave-vaisselle, et que Faye était, en définitive, plutôt fière de son exploit.

Beth compta six voitures sur le parking. Ayant laissé leurs épouses terminer leurs emplettes dans la boutique de souvenirs, deux messieurs faisaient les cent pas à l'extérieur tout en regardant avec curiosité Steve Baden sortir de la grange un énorme tracteur qu'il conduisait jusqu'à un champ en contrebas, au bord du ruisseau. Quand il passa dans l'allée, elle lui fit un petit signe de la main, qu'il lui rendit aussitôt, accompagné d'un sourire amical.

Elle poussa Caitlin une dernière fois et dit :

— Je vais voir si ta maman a besoin d'un coup de main. Ne bouge surtout pas d'ici. Dana ou moi allons venir jouer avec toi.

La tête renversée en arrière, la fillette s'amusait à regarder le soleil jouer à cache-cache entre les feuilles des arbres, au-dessus d'elle.

— D'accord. Dis à Dana de venir, quand elle aura fini.

Steve avait déposé Dana à la serre, tout à l'heure. Beth aimait bien l'adolescente. Elle était vive, gaie et chaleureuse. Et tellement serviable. Faye appréciait beaucoup son aide.

Les deux clientes de la boutique rejoignirent enfin leurs maris, à qui elles s'empressèrent de montrer leurs achats. Puis ils montèrent tous les quatre dans une grosse voiture et s'en allèrent. Faye apparut alors sur le seuil de la serre.

— Je reviens tout de suite, mon chaton. Ne bouge pas d'ici, lança Beth par-dessus son épaule.

— Il va encore faire une chaleur de four, aujourd'hui, dit Faye en s'éventant de la main.

— On annonce des températures supérieures à quarante degrés pour toute la semaine, avec des risques d'orage en fin d'après-midi.

— Mais c'est que vous êtes en train de devenir une vraie fille de la campagne ! s'exclama Faye en riant. Les gens de la ville se moquent pas mal des prévisions météorologiques.

— C'est ma foi bien vrai, répliqua Beth avec un accent exagérément épais. Je vais arroser les herbes aromatiques, dit-elle. Cela me permettra de garder un œil sur Caitlin pendant que Dana et vous faites visiter la serre.

— Merci, Beth.

Faye lui sourit mais son regard était triste. Elle semblait préoccupée. Les menaces qu'avait proférées contre elle Lorraine Sheldon, la semaine précédente, auraient sans doute suffi à expliquer son air soucieux. Mais Beth avait remarqué que son frère faisait grise mine, lui aussi. Entre Faye et lui, ça n'allait pas très fort, apparemment. Beth le regrettait d'autant plus qu'elle-même vivait une histoire merveilleuse avec Kevin.

— Il n'y a pas de quoi. C'est un réel plaisir, pour moi.

Elle adorait s'occuper des plantes et si, jusqu'à très récemment, elle se voyait rester en ville toute sa vie, l'envie lui était venue d'habiter dans une maison avec un jardin et une cour où elle pourrait faire pousser des légumes, des plantes aromatiques et des fleurs.

Et pourquoi pas une maison à la campagne ? Dans un petit bourg de l'Ohio, peut-être…

Beth s'aperçut qu'elle avait eu une espèce d'absence. Par chance, Faye ne s'en était pas rendu compte car elle semblait elle-même perdue dans ses pensées. A la tête qu'elle faisait, Beth devina qu'elle ne devait rêver ni d'une jolie maisonnette à la campagne ni d'un gentil mari à la chevelure flamboyante. En fait, elle regardait quelque chose.

Une voiture approchait. Beth, qui tournait le dos à l'allée, l'entendit arriver. Elle fit brusquement volte-face, s'attendant à voir la Lexus de Lorraine Sheldon. Mais c'était la voiture de patrouille du shérif. L'adjoint Gibson en descendit quelques secondes plus tard, porteur d'une grosse enveloppe marron qui ne présageait rien de bon. Il avait lui-même l'air sombre et peu engageant.

— Bonjour, monsieur l'adjoint, dit Faye d'un ton égal.

— Je suis au regret d'avoir à vous remettre cette assignation à comparaître en justice.

232

Faye prit sans un mot l'enveloppe qu'il lui tendait et la décacheta d'une main qui tremblait légèrement.

Elle parcourut du regard les pages dactylographiées et leva les yeux vers Beth.

— Lorraine et Harold Sheldon m'intentent un procès pour obtenir la garde de Caitlin. Ils prétendent qu'elle est leur petite-fille et entendent faire valoir leurs droits.

Faye devait s'y attendre. Avait-elle contacté l'avocate recommandée par Hugh ? Beth n'avait pas osé le lui demander.

— Et moi ? demanda-t-elle à l'adjoint du shérif d'une voix presque aussi ferme que celle de Faye. Est-ce qu'ils me traînent en justice aussi ?

— Pas à ma connaissance.

— Beth, dit doucement Faye. Harold et Lorraine affirment que vous êtes la mère de Caitlin, mais que vous n'êtes pas apte à en avoir la garde, ni sur le plan physique ni sur le plan émotionnel.

— Mais c'est faux ! protesta Beth d'une voix suraiguë qui tendait à donner raison aux Sheldon.

— C'est à la justice d'en décider, madame. Il va falloir que je vous laisse, maintenant. Croyez bien que je suis désolé de ce qui vous arrive, madame Carson.

— Vous n'y êtes pour rien, monsieur l'adjoint. Vous faites votre travail.

Du coin de l'œil, Beth vit une voiture arriver. En juillet, les vacanciers affluaient d'un peu partout. La serre ne désemplissait pas de la journée. Mais Beth sentait qu'aujourd'hui, Faye aurait du mal à faire face.

— J'ai quand même une bonne nouvelle pour vous, madame Carson, annonça l'adjoint Gibson en esquissant une ébauche de sourire. Hier, la police de l'Etat de l'Indiana a informé notre bureau qu'elle estimait qu'il n'y avait pas lieu de relancer l'enquête concernant la disparition du bébé de Mlle Harden. En vertu de quoi notre bureau a refusé de pousser plus loin ses investigations. Je vais aller en informer les plaignants.

— Merci.

Parfaitement maîtrisée, la voix de Faye ne trahissait aucune émotion, pas la moindre trace de soulagement. La nouvelle ne déclencha pas beaucoup plus de réaction chez Beth. Cela leur faisait une belle jambe de savoir que les Sheldon étaient déboutés de leur plainte alors que par ailleurs, ils intentaient un procès à Faye !

— Bonne journée, mesdames.

L'adjoint du shérif remonta dans sa voiture et s'en alla.

— Puisse faire Dieu que nous ne revoyions jamais cet homme, marmonna Faye tout bas.

Plaquant un sourire sur ses lèvres et redressant les épaules, elle se tourna ensuite vers le couple qui venait d'arriver. Deux retraités accompagnés de trois jeunes enfants.

— Bienvenue à la Ferme des Papillons, lança-t-elle d'un ton enjoué, comme si tout allait pour le mieux dans le meilleur des mondes.

Les heures qui suivirent, Beth les vécut dans un état second. Elle arrosa les plantes, regarnit les étagères, déjeuna avec Dana et Caitlin en discutant des manèges sur lesquels elles allaient monter et de toutes les bonnes choses qu'elles allaient manger à la fête foraine.

Elle essaya de se prendre au jeu et soutint mordicus que les gaufres surpassaient largement les pommes d'amour.

Puis le ciel commença à se couvrir et Caitlin à se plaindre de la chaleur et à pleurnicher. Elle avait perdu sa Barbie préférée... pour la troisième fois de la journée et elle insistait pour aller se baigner.

234

Les papillons devenant léthargiques, les visiteurs s'en allèrent les uns après les autres. Le tonnerre grondait dans le lointain lorsque la dernière voiture quitta le parking. Sentant venir l'orage, Steve revint avec le tracteur presque au même moment. Il le remisa dans la grange, puis échangea avec Faye quelques remarques sur l'imminence de la pluie. Avant de monter dans son estafette, il appela Dana, qui devait rentrer avec lui.

— Je lui ai demandé d'accrocher au passage la pancarte « Fermé », expliqua Faye à Beth, après leur départ. Je rentre pour coucher Caitlin. Une petite sieste ne lui fera pas de mal.

— Non, pas de sieste ! protesta la fillette dont le visage était plein de traces de larmes. J'ai pas sommeil et je veux ma Barbie. Je veux aussi qu'on aille se baigner.

— Il va pleuvoir ; on ne peut pas se baigner maintenant.

Faye était comme toujours d'une patience exemplaire avec sa fille. Elle semblait épuisée, pourtant. En la voyant se masser la nuque en soupirant, Beth comprit à quel point cela avait dû lui coûter de prendre sur elle tout l'après-midi pour avoir l'air en forme et bien accueillir les visiteurs.

— Pourquoi ne vous allongez-vous pas un moment avec elle ? suggéra Beth. Je m'occupe de la caisse et fermerai la serre avant de partir.

— Ce n'est pas à vous de le faire, protesta Faye machinalement mais d'un ton si las que Beth sentit qu'elle n'aurait aucun mal à la convaincre.

— Bien entendu, mais puisque c'est moi qui le demande. Je vous en prie, Faye. Laisse-moi vous aider.

Elle acquiesça d'un signe de tête, l'esprit ailleurs. Beth savait à quoi elle pensait. Elle avait vu l'assignation sur le comptoir de la cuisine. Elle avait même failli y jeter un coup d'œil, curieuse de voir écrit noir sur blanc qu'elle était trop fragile et trop perturbée pour prendre soin de sa propre fille.

Faye prit Caitlin dans ses bras et entra lentement dans la maison sans un regard derrière elle.

A peine avait-elle fermé la porte qu'un monospace blanc s'arrêtait dans la cour. Quatre adultes et trois enfants en descendirent.

— Nous avons tourné pendant une demi-heure avant de trouver la Ferme, déclara un homme au teint rougeaud. Nous rentrons au Michigan. Nous avons fait un détour exprès pour voir les papillons.

— Je regrette mais la Ferme est fermée.

Un grondement de tonnerre sourd vint souligner ses paroles.

— Les papillons ne volent pas quand il fait ce temps-là, ajouta-t-elle en voyant la mine atterrée de son interlocuteur.

— Nous aimerions tellement les voir, dit la plus âgée des deux femmes, la grand-mère, supposa Beth.

Juste à ce moment-là, un rayon de soleil perça entre les nuages et un morceau de ciel bleu apparut.

— Regardez ! s'écria l'un des enfants d'un ton triomphant. Le soleil est de retour.

Sept entrées supplémentaires, ce n'était pas négligeable, calcula Beth. La journée avait été calamiteuse. Si la recette était bonne, ce serait toujours ça de gagné. Et puisqu'elle n'avait rien à faire en attendant le retour de Hugh et de Kevin…

— D'accord, dit-elle. Mais la visite ne sera pas guidée. Vous pourrez vous balader librement à l'intérieur de la serre. Je vous demanderai toutefois de respecter les consignes.

236

Beth ne se doutait pas qu'une heure plus tard, lorsque le monospace repartirait, elle regretterait d'avoir cédé. Non que les visiteurs se soient mal tenus ou montrés désagréables, mais elle était en nage car il faisait de plus de plus lourd. A l'intérieur du jardin tropical, on se serait cru dans un sauna.

Elle verrouilla le tiroir-caisse et le cacha sous les sacs de paillis, comme Faye le lui avait montré. Puis elle ferma les panneaux coulissants et vérifia que tout était en ordre. Il était plus de 17 heures lorsqu'elle donna un tour de clé à la porte de la serre. Le ciel était maintenant uniformément gris et le tonnerre grondait juste au-dessus d'elle.

Se hâtant de traverser la cour, Beth prit la direction des bungalows. Elle peina dans la côte car sa jambe lui faisait mal, signe infaillible de mauvais temps. Sa jambe l'avait laissée tranquille pendant un bon bout de temps, aussi n'avait-elle pas à se plaindre. Son séjour à la Ferme des Papillons lui réussissait sur tous les plans, décidément. N'en déplaise aux Sheldon, elle allait beaucoup mieux, tant physiquement que moralement. Et elle irait parfaitement bien quand Hugh et elle auraient trouvé un moyen d'aider Faye à gagner son procès.

Elle aperçut la Chevrolet de Hugh, qui passait sur la route au-dessus de la Ferme. Si elle se pressait un peu, elle arriverait au bungalow en même temps que lui.

— Beth !

Elle fit volte-face, alertée par la note d'angoisse qui perçait dans la voix de Faye.

— Beth, vous êtes là ?

— Des visiteurs sont arrivés juste après votre départ. Ils ont tellement insisté que…

Faye n'avait visiblement aucune envie d'entendre son explication jusqu'au bout. D'un geste de la main, elle l'arrêta.

— Caitlin est avec vous ? demanda-t-elle en la rejoignant.

— Non.

Le regard terrifié de Faye la tétanisa. Elle fut incapable de prononcer un mot de plus.

— Oh, mon Dieu ! Quand je me suis réveillée, elle était partie. Et je ne sais pas où elle est.

Beth sentit un grand froid s'insinuer en elle.

— Elle n'est pas dans la maison, reprit Faye. J'ai regardé partout. Pourquoi, Seigneur, a-t-il fallu que je m'endorme ? Elle a dû sortir pendant ce temps.

— Elle n'est pas venue à la serre.

Tout en parlant, Beth fouillait du regard la cour et les champs. Le blé était presque aussi haut que la fillette, à présent. Si Caitlin s'était aventurée dans les champs, elles n'étaient pas près de la retrouver...

Addy arriva l'air penaud et se mit à gémir aux pieds de sa maîtresse, dont elle percevait la tension.

— Le lac, dit Faye dans un souffle. Elle voulait se baigner. Pourvu qu'elle ne soit pas tombée dedans !

Lorsque Hugh déboucha en haut de l'allée, au volant de sa Chevy, Beth hésita sur la conduite à tenir. Devait-elle suivre Faye qui courait vers le lac, ou aller chercher son frère à la rescousse ?

Elle n'hésita pas longtemps.

— Hugh ! cria-t-elle en s'élançant vers lui aussi vite que le lui permettaient sa patte folle et le gravier de l'allée.

Mais à sa grande déception, Hugh lui fit un signe du bras... et disparut. Il devait pourtant bien se douter qu'avec

238

la chaleur qu'il faisait, elle ne l'appelait pas à grands cris et ne lui courait pas après juste pour le plaisir.

— Hugh ! insista-t-elle. Viens vite !

Elle s'arrêta une seconde pour reprendre son souffle et vit Faye courir sur le ponton qui surplombait la partie la plus profonde du lac.

L'image qu'offrait la mère de Caitlin la consterna. Son visage était pâle et ses cheveux ébouriffés collaient à son front moite de sueur. Elle avait l'air hagard et complètement paniqué. Sentant combien il devenait urgent de lui venir en aide, Beth se retourna vers le bungalow. Ce qu'elle vit alors lui fit monter aux yeux des larmes de soulagement.

Hugh avançait vers elle, portant triomphalement Caitlin sur ses épaules.

— Faye ! appela-t-elle de toute la force de ses poumons.

Elle se mit à courir vers le lac, oubliant ses douleurs, indifférente à la chaleur.

— Faye, regardez ! Elle est là ; Hugh l'a retrouvée.

Cette fois, sa voix couvrit le bruit du vent et du tonnerre. Faye se retourna d'un bloc, porta une main à sa bouche comme pour retenir un sanglot. Puis elle fit un pas en avant et s'effondra.

Beth parlait à son frère avec animation. Faye comprit qu'elle devait lui relater les événements de la journée et les circonstances dans lesquelles Caitlin avait échappé à leur vigilance. Faye venait de vivre les cinq minutes les plus épouvantables de son existence. Jamais elle n'avait connu une telle détresse, un sentiment de vide aussi terrible. Même quand Mark était mort, même quand elle avait perdu l'enfant qu'elle portait.

Ce bébé n'était encore qu'une promesse. Caitlin, elle, était un être de chair et de sang.

— Ma chérie ! dit Faye en tendant les bras vers la fillette.

D'une traction des bras, Hugh fit descendre Caitlin de son perchoir et la posa par terre.

— Je suis allée me promener, déclara fièrement la petite en se jetant dans les bras de Faye. Tu étais endormie.

— Tu n'aurais pas dû t'éloigner, mon chaton, dit Faye.

Le reproche manquait singulièrement de conviction, mais elle n'avait pas le cœur de la gronder. Pas maintenant. Caitlin était saine et sauve ; rien d'autre ne comptait.

— Hugh trouve toujours ma Barbie. C'est pour ça que je suis allée le chercher.

Hugh s'agenouilla à côté de Faye, qui savoura la senteur épicée de son après-rasage et l'odeur plus subtile, et encore plus virile, de sa peau.

— Je t'aiderai à chercher ta Barbie, mais tu dois me promettre de ne plus jamais partir seule. Ta maman a eu très peur, tu sais.

Caitlin plissa les yeux et pencha la tête, mesurant la gravité de ses paroles. Hugh ne cilla pas, inflexible.

— D'accord. La prochaine fois, maman viendra avec moi.

Hugh leva les yeux et son regard croisa celui de Faye. Ils savaient l'un comme l'autre que Faye ne viendrait pas au cottage, même avec Caitlin.

Faye se détourna avec un soupir imperceptible. Hugh se redressa et tendit la main à la fillette.

— Si tu veux que nous cherchions ta Barbie, nous devons nous dépêcher de rentrer, mon chaton. Avant qu'il tombe des cordes.

— Comme ma corde à sauter ? demanda l'enfant en ouvrant de grands yeux effarés.

— Encore plus grosses, affirma Hugh le plus sérieusement du monde.

— C'est même pas vrai ! Il pleut pas des cordes, d'abord.

— Tu as raison, concéda-t-il en la soulevant dans les airs pour la faire hurler de joie. Je me suis trompé. Il va tomber des crapauds.

Caitlin s'étrangla de rire. Hugh l'installa sur son bras et offrit son autre main à Faye. Se blindant intérieurement, elle accepta son aide. Mais dès qu'elle se fut relevée, Hugh la lâcha, à son grand regret.

— Quand je pense qu'elle est allée jusqu'aux bungalows toute seule…, dit-elle pour masquer sa déception.

— Elle m'attendait sous le porche, assise sur les marches.

— Elle devait y être depuis une ou deux minutes, pas plus, dit Beth.

Une ou deux minutes, songea Faye avec effroi en en tremblant encore. C'était plus de temps qu'il n'en aurait fallu pour qu'elle s'égare sur la route ou tombe dans le lac…

— Elle va bien ; vous n'avez plus à vous en faire, affirma Beth du ton lénifiant qu'on prenait avec elle encore tout récemment. Il ne faut plus y penser.

Il y avait une grande sagesse dans ces paroles. De toute évidence, Beth savait de quoi elle parlait.

— Je vais essayer.

Voilà donc ce que vivait Beth depuis trente mois. L'épouvante absolue de ne pas savoir où était son enfant. De ne pas savoir ce qu'il lui était arrivé. Ni quand elle la reverrait, ni même si elle la reverrait un jour. Ce cauchemar n'avait duré pour Faye que quelques minutes, Dieu merci,

241

mais cela lui avait suffi, et elle espérait de tout cœur ne plus jamais avoir à souffrir les affres de l'angoisse.

Quand elle avait vu Hugh lui ramener sa fille, saine et sauve, une certitude s'était imposée à elle avec une évidence absolue : il était de son devoir de dire la vérité à Beth. Elle seule pouvait soulager son chagrin et la déculpabiliser.

Expliquer à Beth ce qui s'était réellement passé ce matin de novembre était la seule chose à faire. Hugh, qui l'avait compris depuis longtemps, s'était donné beaucoup de mal pour le lui faire admettre.

Mais où allait-elle trouver le courage de tout leur avouer ?

16.

— Quand il tient Caitlin dans ses bras, Hugh est le plus heureux des hommes, dit Beth. Tu as remarqué ?

Bien à l'abri dans la vieille Buick de Kevin, garée en face de la Gerbe d'Or, les deux jeunes gens attendaient la fin de l'averse. Il tombait des cordes, comme l'avait prédit Hugh, mais d'après Kevin, cela ne durerait pas.

— Il l'adore, ça saute aux yeux, continua la jeune fille. Il est tout aussi évident qu'il aime Faye. Je crois, malheureusement, qu'elle n'est pas amoureuse de lui.

— Qu'est-ce que tu en sais ?

Affalé sur son siège, le genou appuyé contre le volant, Kevin fermait les yeux. Il tenait chastement la main de Beth dans la sienne, mais ce simple contact embrasait la jeune fille, et réchauffait la solitude glacée de son âme comme un tison incandescent.

— Peut-être que je me trompe, dit-elle après quelques instants de réflexion. Peut-être qu'elle l'aime, elle aussi, mais qu'elle refuse de l'admettre.

Kevin tourna la tête vers elle et ouvrit les yeux.

— Pour quelle raison, d'après toi ?

Beth soupira.

— A cause de Caitlin. Elle ne veut pas s'amouracher de quelqu'un qui pourrait lui enlever Caitlin. Hugh ne ferait jamais une chose pareille, bien sûr, mais elle préfère ne pas prendre de risques.

Kevin marqua une pause, comme s'il hésitait.

— Et toi ? demanda-t-il enfin. Tu la lui enlèverais ?

Elle fixa le pare-brise ruisselant de pluie en souhaitant ne jamais avoir lancé ce sujet sur le tapis. Sa bouche s'était asséchée et son cœur emballé. Non plus de désir, mais de peur. Car elle savait que Kevin aspirait à voir évoluer leur relation. Et pas uniquement sur le plan sexuel. Ce n'était pas son genre.

— Caitlin est une petite fille vraiment adorable, commença-t-elle, mal à l'aise.

— Mais… ?

— Mais je n'éprouve pour elle aucun attachement particulier. Ce n'est pas comme si elle était ma fille…

Elle ne pouvait se résoudre à lui confier que sa plus grande crainte, à présent, était de finir par se laisser convaincre que Caitlin était sa fille. Parce que dans ce cas, il se pourrait qu'elle la récupère. Or Beth ne se sentait pas capable d'élever un enfant. Des larmes lui vinrent aux yeux, qu'elle s'efforça de refouler. Mais c'était plus fort qu'elle ; elle avait tellement envie de pleurer…

— La pluie se calme, dit-elle pour faire diversion.

L'averse les avait provisoirement coupés du monde extérieur. Mais le ciel s'éclaircissait et il était temps de reprendre pied dans la réalité.

— Allons passer commande, poursuivit-elle en essayant de sourire. J'ai promis que nous rapporterions de quoi dîner. Je meurs de faim. Et toi aussi, je parie ?

Hugh et Faye n'avaient pas paru enchantés de la voir s'en aller, mais sous prétexte d'aller chercher des plats à emporter à la Gerbe d'Or, Kevin et elle s'étaient éclipsés. Beth tenait à les laisser un moment en tête à tête tous les deux.

Kevin ne fit pas mine de descendre de voiture.

— Il faut que nous parlions, Beth. Je veux savoir ce que tu penses réellement de ce procès que les Sheldon engagent contre Faye.

Pendant le trajet, elle lui avait parlé de la visite de l'adjoint Gibson.

— Je n'aspire à rien d'autre qu'à voir les parents de Jamie sortir au plus vite de ma vie. Et de celle de Faye, dit-elle en retirant brusquement sa main de celle de Kevin. Quant à ce qu'ils disent de moi, c'est ridicule. Je ne suis pas si fragile que ça. Ni instable au point de…

— De ne pas pouvoir t'occuper de tes propres enfants ?

Doucement mais fermement, il reprit sa main dans la sienne. Un éclair zébra la ciel tandis que Beth luttait contre l'envie de se blottir contre lui, de se fondre dans sa chaleur, sa force. Elle se vit à la tête d'une joyeuse tribu de garçonnets roux comme Kevin et d'une petite fille qui lui ressemblerait. Etait-ce un rêve inaccessible ? Ou un projet d'avenir ?

— Kevin, je t'en prie, changeons de sujet.

— Non, parlons-en, au contraire, dit-il en serrant sa main un peu plus fort. Je veux des enfants, Beth. Une maison pleine d'enfants.

Il porta la main de Beth à sa bouche et en embrassa la paume avec une gravité teintée de ferveur, sans se préoccuper des clients de la Gerbe d'Or qui les voyaient peut-être.

— Des enfants que je veux faire avec toi. Et élever avec toi. Car je t'aime, Beth. Et je veux t'épouser.

Elle n'osait pas le regarder. Sa seule présence, derrière elle, *chez elle*, la troublait infiniment.

— Nous pouvons tout aussi bien manger là, dit-il en désignant le coin-repas, où Caitlin avait déjà pris place.

Son escapade lui ayant ouvert l'appétit, elle avait réclamé à manger à cor et à cri, aussi Faye lui avait-elle servi des céréales et une tartine de pain et de confiture que la fillette dévorait à belles dents.

Le silence s'étira entre eux, tel un gouffre attendant qu'un pont vienne enfin relier ses deux bords. Si Hugh ne faisait rien pour le rompre, la distance, entre eux, deviendrait vite infranchissable. Il fit un pas vers elle, mais elle se détourna.

Du bout du doigt, Hugh toucha la grande enveloppe marron posée sur la table.

— Avez-vous pris contact avec l'avocate que je vous ai recommandée ? demanda-t-il, faute de trouver autre chose à dire.

Tout ce qui lui venait à l'esprit sonnait creux, vide de sens. Il se sentait responsable de ce qui arrivait. S'il n'était pas venu à la Ferme, Faye n'aurait pas tous ces ennuis, ni cet air perdu qui lui donnait envie de la prendre dans ses bras pour la réconforter.

— Elle est en vacances. J'ai rendez-vous jeudi. Le jour de son retour.

— C'est une excellente avocate. Une battante qui fera tout pour vous défendre.

— En ce cas, vous devriez la prendre pour vous. Pour protéger les intérêts de Beth.

— Je m'occupe de Beth, s'entendit-il répliquer d'un ton bourru.

Dans quelle mesure pouvait-il protéger sa sœur ? Contre les tracasseries judiciaires, il ne pouvait rien. Mais contre les mensonges qui s'accumulaient ?

En dépit du soin qu'il mettait à ne jamais laisser la moindre émotion transparaître sur son visage, le doute dut assombrir un instant son regard.

— La protéger ? dit Faye. Et comment comptez-vous vous y prendre pour lui éviter de souffrir, quand elle découvrira que vous lui avez menti ?

Un grondement de tonnerre, au loin, ponctua ses paroles.

— Elle n'en saura jamais rien.

Faye secoua la tête. Elle jeta un coup d'œil en direction de Caitlin, occupée à trier ses céréales.

— Vous ne pouvez pas continuer à lui taire la vérité. Vous vous détesteriez de lui avoir menti. Il faut qu'elle sache, au contraire. J'ai décidé de tout lui avouer.

— Faye…

Qu'aurait-il pu dire d'autre ? Il n'avait rien à ajouter. Il n'avait pas envie de parler. Il voulait juste la prendre dans ses bras.

— Quand Caitlin a disparu, tout à l'heure…

Elle déglutit à plusieurs reprises et pressa ses doigts sur ses lèvres pour les empêcher de trembler.

— J'ai cru devenir folle, dit-elle en plongeant son regard dans celui de Hugh. J'avais peur qu'elle se soit perdue dans les champs, noyée dans le lac ou qu'elle ait été enlevée. J'ai même pensé que je ne la reverrais jamais plus vivante. Moi qui croyais savoir ce qu'était le chagrin, j'ai gravi d'un coup plusieurs échelons sur l'échelle de la douleur. J'ai compris aussi qu'il n'y a rien de pire que de ne pas savoir. L'incertitude vous ronge l'âme telle une gangrène et fait de vous un zombie. J'ai beaucoup d'affection pour Beth. Je veux la guérir de ce mal terrible.

247

Hugh lutta pour se débarrasser de la boule inconfortable qui s'était logée dans sa gorge et l'empêchait de parler. Faye venait de lui confier son secret le plus intime.

— Etes-vous en train de me dire que Caitlin est la fille de Beth ?

Elle acquiesça d'un signe de tête, tandis que ses doigts agrippaient le dossier d'une des chaises de cuisine avec tant de force que ses articulations blanchirent.

— Oui, dit-elle après avoir pris une profonde inspiration.

Sa voix crispée, sa raideur trahissaient ses efforts pour ne pas s'effondrer.

— Je l'ai aidée à accoucher dans l'abri de pierre du parc. Juste après la naissance, Jamie a pris peur et s'est enfui avec elle en me laissant le bébé. Quelques jours plus tard, j'ai appris l'accident. J'ai cru qu'ils étaient morts tous les deux. J'ai vu là comme un signe du destin. Ce bébé, Dieu l'avait mis sur mon chemin à dessein. Il m'était destiné. Alors je l'ai gardé comme s'il était le mien.

Deux larmes roulèrent sur ses joues. N'y tenant plus, Hugh s'approcha pour la prendre dans ses bras, mais elle se déroba.

— Non, Hugh. Je vous en prie.

— Je vous aime, Faye.

Et tant pis s'il manquait à sa promesse de ne plus jamais lui parler d'amour ! Ces mots, il fallait qu'il les lui dise, qu'elle les entende.

— Je sais, dit-elle en souriant tristement à travers ses larmes. Moi aussi, je vous aime. Vous avez dit l'autre jour que vous étiez tombé amoureux de moi morceau par morceau. Eh bien, moi, c'est la même chose. Le dernier morceau s'est mis en place tout à l'heure, quand je vous ai vu arriver avec Caitlin sur vos épaules.

Il fit un pas vers elle mais là encore, elle s'esquiva.

— Je vous aime, Hugh. De tout mon cœur, de toute mon âme. Mais c'est la dernière fois que vous m'entendez le dire.

— Pourquoi ? demanda-t-il presque aussi bouleversé qu'elle.

— Parce qu'à partir du moment où j'aurai dit la vérité à Beth, votre loyauté envers elle prendra le dessus. De même que la mienne envers Caitlin prédominera toujours. Aussi fort soit-il, aucun amour au monde ne peut résister à un tel conflit d'intérêts.

La chaise qui les séparait ne constituait pas pour Hugh un obstacle infranchissable. Il la contourna si prestement que Faye ne le vit pas venir. Elle se retrouva dans ses bras avant de comprendre ce qui lui arrivait.

— Ma loyauté n'est pas exclusive. Elle vous est acquise à toutes les trois, Beth, Caitlin et vous. Comme je vous l'ai déjà dit, nous devons faire bloc pour contrer les Sheldon.

Elle s'abandonna un instant contre lui, et ces quelques secondes furent pour Hugh d'une infinie quiétude car il crut avoir gagné. Mais sa victoire était illusoire. Très vite, Faye se raidit et le repoussa.

— Vous ne savez pas comment Beth réagira quand elle connaîtra la vérité. Comment pouvez-vous être sûr de ne jamais regretter les paroles que vous venez de prononcer ? Rien ne prouve non plus que je ne regretterai pas les miennes.

— Je...

Elle lui posa un doigt sur les lèvres pour le faire taire.

— Je ne vous laisserai pas mentir de nouveau.

Le ronflement caractéristique du moteur de la guimbarde de Kevin se fit brusquement entendre dans la cour. Caitlin leva le nez de ses céréales.

— C'est Beth ! cria-t-elle joyeusement en bondissant sur ses pieds. Elle rapporte de la glace !

D'un revers de main, Faye fit disparaître les traces de larmes sur ses joues.

— Je vous en prie, Hugh, laissez-moi faire, dit-elle en fixant sur lui un regard à l'éclat fiévreux. Ne précipitons pas les choses. Attendons le moment propice.

Il se contenta d'acquiescer d'un signe de tête.

— Je vous laisse avec eux. J'ai besoin de récupérer. Beth sait où se trouvent les couverts et la vaisselle.

— Nous nous débrouillerons.

— Merci, dit-elle avant de quitter la cuisine avec un petit sourire triste qui lui déchira le cœur.

— Coucou, Beth ! lança joyeusement Caitlin. Tu m'as rapporté ma glace ?

Mais Beth avait les mains vides et elle était seule.

— Je l'ai oubliée, mon chaton. Je suis désolée.

Elle considéra un instant ses bras ballants et leva vers Hugh un regard consterné.

— J'ai oublié aussi les plats à emporter.

— Je veux de la glace, pleurnicha Caitlin. Je vais le dire à ma maman. J'en veux ! J'en veux !

La mine boudeuse, la fillette partit comme une flèche à la recherche de Faye.

— Eh bien, il ne manquait plus que ça ! soupira Beth. Encore une qui va m'en vouloir…

Hugh comprit qu'il s'était passé quelque chose entre elle et Kevin. En la regardant plus attentivement, il s'aperçut qu'elle avait pleuré. Partie chercher de quoi manger, elle revenait les mains vides. Kevin l'avait déposée puis il était reparti sur les chapeaux de roues, comme s'il avait le diable à ses trousses.

— Vous vous êtes disputés ? demanda-t-il doucement.

250

Elle eut un rire amer et ses lèvres se retroussèrent en un rictus sarcastique.

— Si ce n'était que ça ! Mais c'est bien pire. Il m'a demandé de l'épouser.

— Tu n'as pas la tête d'une jeune fiancée.

— Je ne suis pas fiancée ! répliqua-t-elle avec feu. Il est hors de question que je me marie.

En lui voyant cet air de petite fille désemparée, Hugh sentit son cœur se serrer de tendresse. Beth était très jeune, mais elle avait déjà tant souffert… Il n'aurait jamais dû lui mentir. Faye avait raison. Comment avait-il osé lui affirmer qu'il pensait que Caitlin n'était pas sa fille ?

— Est-ce que tu l'aimes ? demanda-t-il.

— Oui, mais ce n'est pas suffisant.

Si sa voix était chevrotante, son ton, lui, était sans appel.

— Pourquoi ? Kevin est au courant pour le bébé, mais il t'aime suffisamment pour ne pas t'en tenir rigueur. Pour lui, cela ne change rien.

— Mais pour moi, ça change tout ! Réfléchis un peu, Hugh ! Kevin rêve de fonder une famille. Il adore les enfants. Il est formidable avec eux. Et moi, je… je me demande si je suis fiable. Je ne peux pas prendre le risque d'avoir un enfant tant que je ne saurai pas ce qui est arrivé à mon bébé.

Les larmes, qu'elle ne cherchait plus à retenir, ruisselaient sur ses joues. Hugh ne supportait pas de la voir souffrir. Il aurait fait n'importe quoi pour soulager sa peine, mais il avait promis à Faye de la laisser faire.

— Avant d'épouser Kevin, je veux être certaine de ne pas avoir fait de mal à ma petite fille.

Elle croisa les bras sur sa poitrine, vacillant légèrement, tout entière repliée sur sa douleur.

— Je n'arrive pas à me rappeler, dit-elle tout bas d'un ton accablé.

Son regard passa au-dessus de Hugh et se fixa sur la porte, dans l'encadrement de laquelle se tenait Faye, portant dans ses bras Caitlin, qui boudait toujours.

Hugh plongea ses yeux dans ceux de Faye et dit :

— C'est le moment, Faye.

Elle le considéra longuement, comme si elle cherchait à puiser en lui le courage qui lui faisait défaut, puis elle ferma les yeux et hocha lentement la tête.

— Oui, je crois que le moment est venu, dit-elle en resserrant machinalement l'étreinte de ses bras autour de la petite fille.

Refoulant les larmes qui brillaient dans ses yeux, elle détacha son regard de Hugh pour le fixer sur Beth.

— Ce qui s'est passé ce jour-là, Beth, je vais vous le dire. Vous n'aurez plus à vous torturer l'esprit car j'ai toutes les réponses à vos questions. Et la première d'entre elles, la voici, dit-elle en désignant Caitlin du menton. Sachez, Beth, que ma fille est aussi la vôtre.

On ne gagne pas toujours à obtenir ce que l'on croyait pourtant désirer le plus au monde, songeait Beth en déposant un petit bouquet de fleurs des champs au pied de la tombe de Mark Carson.

Caitlin était persuadée que cet homme était son père. Quand elle montrait sa photo, qui trônait sur le manteau de la cheminée du séjour, elle l'appelait papa. Mais que devenait Jamie, dans tout ça ? Jamie, qui était enterré à Boston, dans un cimetière où Beth n'avait jamais mis les pieds... Caitlin aurait-elle un jour vent de son existence ?

— Et moi ? Je compte pour quoi ? demanda-t-elle tout haut avant de vite refermer la bouche, horrifiée de constater qu'elle recommençait à parler toute seule.

Que lui dira Faye à mon sujet ?

Trois jours plus tôt, Faye lui avait apporté la réponse à la question qui la taraudait depuis si longtemps. Mais elle avait aussi, incidemment, suscité des dizaines d'autres questions, auxquelles Beth était incapable de répondre.

Et puis, Hugh était toujours aussi taciturne. Les aveux de Faye n'avaient rien changé à ses relations avec elle. Ils se comportaient comme deux étrangers, Faye et lui, et semblaient toujours aussi mal à l'aise l'un avec l'autre.

Mais avec elle aussi, Hugh était mal à l'aise, depuis qu'elle avait déversé sur lui sa colère et sa rancune. Il lui avait menti, le monstre ! Jamais auparavant il n'avait fait une chose pareille. S'il lui avait confié le fond de sa pensée, sans doute n'aurait-elle pas été aussi atterrée par la confession de Faye.

Elle aurait pu, elle aurait *dû* deviner. Mais elle avait refusé d'ouvrir les yeux, de regarder la réalité en face. Parce qu'elle n'avait jamais ressenti pour Caitlin d'amour maternel.

Caitlin passait cependant toujours autant de temps avec elle. Faye faisait comme si de rien n'était. Mais en réalité, plus rien n'était comme avant. Les premières fois où elle s'était retrouvée seule avec la fillette, Beth avait été secrètement tentée de l'emporter et de la garder. Elle n'en avait rien fait, mais Faye avait deviné que l'idée lui en avait traversé l'esprit.

La veille au soir, Beth était presque passée à l'acte. Elle jouait avec Caitlin à un jeu d'encastrements sur la table de jardin pendant que Faye s'apprêtait à fermer la serre et que Hugh faisait son jogging. Il ne rentrerait qu'à la nuit tombée et filerait directement au cottage, évitant soigneusement Faye, comme d'habitude.

Caitlin était prête à aller au lit. Pour la première fois, Beth lui avait donné son bain. La petite fille portait une chemise de nuit rose pâle parsemée de canetons et de Jeannot lapins. Mais elle n'avait pas de chaussons et ses petits pieds nus dépassaient sous la longue chemise de nuit.

J'irai lui acheter des chaussons. Je choisirai les plus rigolos, en forme de Mickey avec de grandes oreilles. Je suis sa mère.

Caitlin n'en finissait pas de jacasser, menaçant Addy des pires représailles si elle n'arrêtait pas de chasser les mouffettes.

— Les mouffettes, affirmait-elle d'un ton doctoral, sentent très, très mauvais.

Joignant le geste à la parole, elle se pinça le nez, l'air dégoûté, en s'éventant avec l'autre main.

— Caitlin, il est l'heure d'aller au lit ! annonça Faye en franchissant le portail.

A la vue de la fillette assise sur les genoux de Beth, elle n'eut pas le moindre tressaillement.

— Il est tard, mon chaton. Tu risques d'être fatiguée, demain, si tu ne viens pas te coucher tout de suite.

— Alors je vais dormir chez Beth ! décréta Caitlin.

Elle noua ses petits bras autour du cou de Beth avec une spontanéité et une sincérité si désarmantes que Beth ne put s'empêcher de la serrer dans ses bras.

— Pas de problème, dit-elle. Je vais l'emmener au cottage un petit moment.

— Pour dormir, insista la fillette.

Caitlin passait parfois la nuit chez Peg. Une fois ou deux, elle avait même dormi chez Dana. Le cottage n'étant qu'à quelques centaines de mètres de la maison de Faye, il n'y avait aucune raison pour qu'elle se sente dépaysée.

— Vous permettez qu'elle reste avec moi ? demanda Beth.

Le regard de Faye fixa un point invisible, derrière elle. Elle avait l'air fragile, comme si elle ployait sous le poids de la tristesse incommensurable qui l'accablait. Beth aurait voulu la rassurer mais Caitlin, qui n'avait pas les yeux dans sa poche, avait compris qu'il se passait quelque chose entre sa mère et ses deux hôtes. Ce n'était pas la peine de l'inquiéter davantage.

— D'accord. Mais il faut d'abord que tu ranges ton jeu et que tu ailles sur le pot, dit Faye d'une voix mal assurée.

La sentant sur le point de fondre en larmes, Beth faillit renoncer à prendre Caitlin pour la nuit. Mais elle avait tellement envie que sa petite fille s'endorme dans ses bras…

Hugh venait juste de rentrer quand elles arrivèrent au cottage. Lorsqu'elle lui expliqua, avec une gaieté feinte, que Caitlin allait passer la nuit avec eux, il fronça les sourcils.

— Elle n'a pas l'habitude d'être séparée de sa mère, fit-il remarquer.

— Je *suis* sa mère ! rétorqua Beth.

— Je le sais très bien.

Il se détourna et alla s'asseoir dans le patio, face aux champs qui s'étendaient à perte de vue au delà du manoir dont les fenêtres s'éclairaient une à une.

Beth laissa la fillette sauter sur son lit et jouer avec ses peluches autant qu'elle voulait. Jusqu'au moment où, rompue de fatigue, Caitlin se pelotonna contre elle et s'endormit.

Allongée dans le noir, Beth essaya de réfléchir. Comment allaient-ils se sortir de ce guêpier ? Mais le bruit de la respiration de Caitlin, le contact de sa peau de pêche, l'empêchaient de se concentrer. Blottie contre le corps de l'enfant, elle ferma les yeux.

Lorsqu'elle se réveilla, il faisait nuit noire. Hugh était debout dans l'encadrement de la porte, sa silhouette se découpant dans la lumière qui venait du séjour. Assise sur son séant, à côté d'elle, Caitlin se frottait les yeux et sanglotait.

— Je l'ai entendue pleurer, dit Hugh calmement.

— Que se passe-t-il, mon chaton ? Tu as fait un mauvais rêve ? demanda Beth en prenant la fillette dans ses bras.

— La méchante dame voulait m'emmener, expliqua l'enfant entre deux sanglots. J'ai peur. Je veux ma maman.

— Je *suis* ta maman, dit Beth si bas qu'elle seule put l'entendre.

Si elle n'osait pas prononcer ces mots à haute et intelligible voix, c'était parce qu'ils ne la convainquaient pas elle-même. Qu'elle le veuille ou non, ils ne reflétaient plus la réalité. Lorsqu'elle leva les yeux, Beth s'aperçut que Hugh la regardait. Soulevant Caitlin dans ses bras, elle repoussa drap et couverture et sauta à bas du lit.

Elle savait ce qu'il lui restait à faire. Ce n'était sans doute pas la décision qu'elle aurait prise, trois ans plus tôt, si Jamie lui avait laissé le choix. Mais aujourd'hui, c'était la seule raisonnable.

— Elle a fait un cauchemar et elle veut sa maman, dit-elle d'une voix qu'au prix d'un effort surhumain, elle parvint à maîtriser jusqu'au bout. Passe-moi tes clés de voiture, je vais la ramener à sa mère.

17.

Ses yeux s'emplissaient encore de larmes lorsque Beth repensait à cet instant si douloureux où il lui avait fallu rendre Caitlin à sa mère.

A la femme qu'elle appelait maman.

Elle l'avait fait de son plein gré, après avoir mûrement réfléchi. C'était la première étape d'un plan qui en comportait trois. Il lui restait encore à affronter les Sheldon. Mais auparavant, elle devait parler à Kevin. Car elle se sentait à présent assez forte pour être sa femme et la mère de ses enfants.

Cette force, dont elle n'aurait jamais soupçonné l'existence, elle l'avait montrée quand elle avait installé Caitlin sur le siège arrière de la Chevrolet de son frère et qu'elle l'avait ramenée à sa mère. La seule mère qui comptât vraiment.

Kevin devait en être informé.

Hugh aussi. Hugh, qui avait dû la chercher partout, et gravissait la colline pour la rejoindre. Il n'était pas allé travailler exprès pour rester avec elle. Elle avait quitté le bungalow avant son réveil, ce matin, non qu'elle lui en voulût encore de lui avoir menti, mais parce qu'elle avait besoin de calme pour peaufiner son plan.

Il était au point, maintenant, et elle avait hâte de se racheter auprès de Hugh presque autant qu'auprès de Kevin.

— Ça fait un sacré bout de temps que tu es partie, dit-il en s'approchant, les mains dans les poches de son jean. Je suis venu m'assurer que tout allait bien.

Il se tenait à quelques pas d'elle, comme s'il craignait de l'importuner.

— Tout va bien.

Elle tapota le banc en pierre sur lequel elle était assise. Il était froid et un peu rugueux, à cause du lichen qui l'envahissait.

— J'avais besoin de réfléchir.

Hugh prit son invitation pour un gage de réconciliation, ce qu'elle était effectivement, et s'assit près d'elle. Il retira ses lunettes de soleil. La clarté lui fit plisser les yeux.

— A ce qui s'est passé hier soir ? demanda-t-il.

Elle hocha la tête.

— J'ai fait la seule chose à faire, dit-elle d'un ton qu'elle voulut convaincant.

Posant les coudes sur ses genoux, Hugh se mit à tripoter ses lunettes de soleil.

— Oui, sans aucun doute. Tu sais... je regrette de t'avoir menti. Je me doutais que Caitlin était ta fille, mais j'avais peur de te rendre malheureuse. Je t'aime, Beth, et je ne supporte pas de te voir souffrir.

Beth avait du mal à retenir ses larmes.

— Ce que je te reproche surtout, dit-elle d'une voix chancelante, c'est de ne m'avoir pas cru capable de faire face. Tu as toujours cru en moi, pourtant. Dès l'instant où je me suis réveillée, après l'accident, et à chaque étape de ma rééducation, tu t'es toujours montré confiant et encourageant.

— Jamais plus je ne te sous-estimerai, promit Hugh en posant sa main sur la sienne. Je t'en donne ma parole, petite sœur.

Beth se jeta dans ses bras.

Elle s'abandonna un instant contre sa large poitrine, puis elle se redressa et chassa d'un revers de main une larme qui avait malencontreusement glissé sur sa joue.

— Tu n'as plus à t'en faire, assura Hugh.

Elle sourit.

— Oui, je sais. J'ai trouvé un moyen de tout arranger.

— Ah bon ? Et comment comptes-tu t'y prendre ?

Elle y avait tellement réfléchi que les mots lui vinrent aux lèvres tout naturellement.

— Je vais rentrer passer quelques coups de téléphone. Puis je partirai à la recherche de Kevin. Il faut que je me réconcilie avec lui. Si tout se passe comme prévu, Lorraine et Harold devraient débarquer avant la fin de l'après-midi.

— Les Sheldon ? Ici ? Mais pourquoi ? Qu'est-ce que tu vas leur dire ?

— La seule chose souhaitable pour Caitlin. Et pour moi.

Elle espérait que Faye et Hugh y trouveraient également leur compte.

— Je n'ai pas le temps de t'en dire plus pour l'instant. Mais tu me rendrais service en allant prévenir Faye.

Il se renfrogna. La perspective de se retrouver seul avec Faye ne lui souriait guère, mais Beth n'allait pas modifier ses plans pour autant.

— Il faut vraiment que je mette la main sur Kevin, dit-elle en se levant. Tu me fais confiance, j'espère ?

— Totalement.

Ses yeux plongés dans les siens, il soutint son regard sans ciller. Puis il sortit ses clés de voiture de la poche de son jean et les lui tendit.

— Tu as mon soutien inconditionnel, quelle que soit la ligne d'action que tu aies adoptée.

Elle gara la Chevrolet juste derrière la voiture de Kevin et coupa le contact. Son cœur battait à tout rompre, tandis que ses doigts martelaient le volant à la même cadence infernale. Sur le moment, la démarche lui avait paru simple, évidente. Elle se rendait compte maintenant qu'elle ne l'était pas tant que cela. Et si Kevin avait changé d'avis pendant les quelques jours où ils ne s'étaient pas vus ? Et s'il avait décidé qu'en fin de compte, il valait mieux pour lui ne pas prendre une responsabilité aussi lourde ? Et si…

— Salut, Beth.

Sans s'en apercevoir, elle avait fermé les yeux. La voix de Kevin la tira brusquement de ses sombres réflexions. Debout derrière la fenêtre ouverte, il lui parut plus séduisant que jamais dans une chemise verte qu'elle ne lui avait encore jamais vue.

— Me voilà, dit-elle calmement. Je crois que… j'ai mis de l'ordre dans ma tête.

A ces mots, Kevin ne fit ni une ni deux : il contourna la Chevrolet, ouvrit la portière et grimpa à côté de Beth.

— Je t'attendais. Ces trois jours ont été les plus longs de toute ma vie.

Elle se mit à parler très vite pour l'empêcher d'aller plus loin.

— Je ne suis pas sûre d'avoir envie de me marier tout de suite. Dans un an ou deux, peut-être. Il faut d'abord que j'obtienne mon diplôme et que…

Il sourit et leva la main pour l'arrêter.

— Je peux attendre. Mais je te préviens, nous ne pourrons pas vivre ensemble. C'est écrit dans mon contrat de travail. Les professeurs de sciences du collège de Bartonsville n'ont pas le droit de vivre dans le péché.

Il ne plaisantait qu'à moitié, car ils habitaient dans un petit bourg où tout se savait.

Elle se pencha vers lui et déposa un petit baiser sur sa joue.

— Nous pourrons toujours nous envoyer en l'air à l'arrière de la Buick.

Kevin aspira une grande goulée d'air, comme s'il se trouvait soudain au bord de l'asphyxie. Puis il la prit dans ses bras, les yeux brillant de convoitise.

— Je t'aime, chuchota-t-il contre sa tempe.

— Moi aussi. Et c'est parce que je t'aime que je te demande de ne pas m'accompagner à la maison.

Il l'embrassa avec passion, et se détacha très vite d'elle. Des élèves allaient et venaient. Dans cinq minutes, tout le collège saurait qu'un couple d'amoureux était en train de se bécoter dans la vieille Chevy garée sur le parking.

— Pourquoi ? J'avais cru comprendre que nous étions fiancés. Enfin, *presque* fiancés. Je suis censé demander à ton frère sa permission, ou plutôt sa bénédiction, non ?

— Oui, je pense que c'est la première chose à faire.

Il lui décocha un de ces sourires ravageurs dont il avait le secret et qui l'avait éblouie dès la toute première fois.

— Mieux vaut tard que jamais.

— Tu sais, il y a encore quelque chose qu'il faut que je te dise, articula Beth avec application parce qu'elle avait peur que sa voix se coince quelque part dans son larynx.

— Que Caitlin est ta fille ?

Elle ne fut même pas surprise.

— Tu avais deviné, toi aussi ?

— Cette gamine te ressemble comme deux gouttes d'eau. A mes yeux, en tout cas.

Déterminée à ne pas pleurer, Beth cligna furieusement des paupières.

— Elle est née dans le petit parc. Faye passait par là et m'a aidée à accoucher. Mais ensuite, Jamie a pris peur et nous nous sommes enfuis en lui abandonnant le bébé.

— Voilà pourquoi cet endroit te terrorise.

— Quand je l'ai revu, une porte a dû s'entrebâiller dans ma mémoire.

Elle ne dit rien pendant quelques instants. La porte s'était refermée. Peut-être pour toujours. L'oubli était sans doute irréversible, mais maintenant qu'elle savait ce qui s'était passé, Beth s'en moquait.

— Hier soir, j'ai pris une décision.

— Laquelle ?

Kevin lui épargnait les longs discours assommants, les mises en garde moralisatrices. La confiance qu'il lui témoignait intensifia encore l'amour qu'elle ressentait pour lui. Le cœur débordant de tendresse, elle expliqua :

— J'ai appelé les Sheldon. Ils seront à la Ferme dans une heure. Je veux faire la paix avec eux. Lorraine a le droit de savoir. Car elle n'a pas un mauvais fond. Mais si ça ne marche pas, s'ils refusent de m'écouter, je préfère que…

— Que je ne sois pas mêlé à tout ça. C'est bien cela ? Voyons, Beth, je serai bientôt ton mari. Je veux être là pour te soutenir.

La conviction qui se dégageait de ses paroles fit naître en Beth un étrange sentiment d'exaltation, contre lequel elle essaya de se blinder. Ils avaient toute la vie devant eux pour s'aimer. Ce n'était pas le moment de se mettre à rêver comme une midinette. Elle avait besoin de toute sa concentration.

— Je ne tiens pas à prendre de risques inutiles. Les Sheldon font déjà un procès à Faye. Il est possible qu'après ce que je vais leur dire, ils engagent des poursuites contre moi aussi.

Et peut-être même qu'ils fassent de nouveau intervenir la police. Tu pourrais avoir à témoigner. Tu...

— Pourrais être tenté de mentir pour te protéger ? Et alors ? Nous formons un couple, maintenant. Ce qui te concerne me concerne aussi.

Quel formidable beau-père il ferait, si elle réclamait la garde de sa fille ! songea Beth. Mais elle n'en ferait rien, et il méritait d'être là quand elle l'annoncerait aux autres.

— Je voulais juste t'éviter les ennuis si mon plan échouait.

Elle luttait pour empêcher sa voix de trembler, mais ses efforts étaient vains.

Un sourire s'épanouit sur les traits de Kevin et ce fut comme si le soleil venait de sortir de derrière un gros nuage.

— Ne t'inquiète pas. Je ne pense pas avoir à me parjurer. Je suis prêt à parier que tu vas mettre les Sheldon K.O. dès le premier round. Pour rien au monde je ne raterai le combat du siècle.

Assise à sa petite table, derrière le comptoir de la serre, Caitlin coloriait en rouge vif un chiot grassouillet tout en soûlant de paroles la brave Addy et deux de ses poupées Barbie. De temps à autre, elle levait le nez pour demander à Hugh son avis sur la couleur qu'elle avait choisie pour la queue du chien ou pour sa gamelle.

Appuyé contre le comptoir, il faisait mine de réfléchir sérieusement à la question.

Faye savait qu'il avait probablement quelque chose de très important à lui dire. Sinon, il ne serait pas venu la trouver à la serre. Mais le motif de sa visite lui importait peu pour l'instant. Il lui suffisait de le voir avec sa fille et de fantasmer sur ce qu'ils auraient pu vivre ensemble... si elle n'avait jamais rencontré Jamie et Beth.

Elle venait de faire visiter la serre à un groupe de visiteurs du troisième âge qui n'en finissaient pas de partir. Les dames regardaient les bibelots exposés dans la boutique, faisaient des risettes à Caitlin et caressaient Addy. Il se passa encore vingt minutes avant que le car quitte enfin le parking.

— Vous vouliez me voir ? demanda-t-elle en le rejoignant près du comptoir.

Elle profitait de l'accalmie soudaine pour lui parler, s'étonnant à part soi de ne plus voir de voitures déboucher dans le parking.

— Oui, dit-il en se penchant sur le dessin de Caitlin pour esquisser d'un coup de crayon habile un couple de papillons.

— Très joli, décréta la fillette en montrant à Faye l'album de coloriage. Merci, Hugh. Tu dessines rudement bien.

— Content que ça te plaise, mon chaton.

Il se redressa et se tourna vers Faye.

— J'ai accroché la pancarte « Fermé ».

— Pourquoi ? demanda Faye qui sentit son rythme cardiaque s'emballer.

— A cause de Beth.

Faye regarda autour d'elle. L'anxiété la transperça comme la pointe acérée d'un pic à glace.

— Elle est là ? Je me suis fait du souci ; je ne l'ai pas vue de la journée.

— Tout va bien. Elle a contacté Harold et Lorraine. Ils ne vont pas tarder à arriver. C'est pour ça que j'ai mis la pancarte. Je pense que nous n'avons pas besoin de témoins.

La gorge sèche, Faye inspira profondément et força les mots à franchir la barrière de ses lèvres.

— Que va-t-elle leur dire ?

Allait-elle se ranger du côté des parents de Jamie ? Sans doute voulait-elle récupérer Caitlin… A cette pensée, Faye frémit de la tête aux pieds. Elle avait toujours su que c'était ce qui risquait d'arriver, si elle disait la vérité à Beth. Mais la nuit dernière, après que Beth lui eut ramené Caitlin, cette crainte s'était un peu assoupie. Elle la tenaillait de nouveau, plus lancinante que jamais.

— Le moment est venu de…

Il n'eut pas le temps de terminer sa phrase. La Buick descendait l'allée, suivie de la Lexus des Sheldon.

— Ils sont là, murmura Faye. Je…

— Nom d'un chien ! Ils ont dû se mettre en route tout de suite après le coup de fil de Beth. Nous ne les attendions pas si tôt.

— Je ne veux pas leur parler.

Elle n'avait pas envie de se disputer avec eux, comme la dernière fois. Son rendez-vous chez l'avocate était prévu pour le surlendemain. Elle n'était pas prête, pas armée pour affronter une Lorraine probablement déchaînée.

— Il faut être forte, Faye, et me faire confiance. Il faut faire confiance à Beth. Elle a pris la décision qui s'imposait. Elle sait ce qu'elle fait, croyez-moi.

Hugh n'avait pas élevé le ton, pour ne pas alerter Caitlin, toujours penchée sur son coloriage, mais lorsqu'elle sonda son regard, Faye lut dans ses yeux l'amour qu'il lui portait.

Elle faillit se jeter dans ses bras, mais le moment était mal choisi. L'heure n'était pas aux grandes déclarations.

— Je fais confiance à Beth, dit-elle gravement. Je *vous* fais confiance.

C'était sa manière à elle de lui dire qu'elle l'aimait. La seule qu'elle puisse se permettre pour l'instant.

— Je suis là, Faye, ne l'oubliez pas. Je vous soutiendrai l'une et l'autre.

Forte de cette promesse, Faye se tourna vers la porte de la serre, au moment où les Sheldon, Beth et Kevin en franchissaient le seuil.

— Bonjour, dit-elle à Lorraine et à Harold. Je crois que Beth nous a tous réunis ici parce qu'elle a quelque chose d'important à nous dire.

— C'est exact, confirma Beth, pâle mais déterminée.

Caitlin leva la tête et sourit à Kevin, qui s'avança vers la fillette.

— Il y a longtemps que je n'ai pas vu les papillons, dit-il. Tu ne voudrais pas m'accompagner ?

Faye lui adressa un bref sourire. Mieux valait que Caitlin n'entende pas ce qui allait se dire maintenant. Main dans la main, Kevin et Caitlin pénétrèrent à l'intérieur du sanctuaire, laissant les cinq adultes dans un silence embarrassé.

Beth croisa les mains devant elle. Puis elle inspira profondément, comme une noyée cherchant son souffle.

— Je pense que le plus simple est que je commence par le début.

Elle jeta à Faye un regard d'encouragement puis se tourna vers les Sheldon.

— Caitlin est ma fille.

Lorraine ouvrit la bouche, stupéfaite, et se cacha le visage dans les mains.

— Je le savais ! sanglota-t-elle. Je le savais !

Harold passa un bras autour des épaules de son épouse. Un léger sourire apparut sur ses lèvres, mais son regard était sombre, méfiant.

— J'étais sur le point d'accoucher et nous étions perdus. Nous nous sommes arrêtés dans ce petit parc, un peu plus bas. Il faisait un froid glacial. J'étais morte de peur et Jamie ne valait pas mieux. Faye m'a tout raconté. C'est comme ça que je le sais. Elle m'a aidée à mettre au monde mon bébé.

— Et elle l'a gardé ! explosa Lorraine, les yeux étincelant de colère.

Faye devait se faire violence pour ne pas se disculper. Hugh posa une main sur son bras. Ce geste, anodin en apparence, suffit à la rasséréner. Hugh lui communiquait sa force, l'assurait de son soutien, l'incitait à faire confiance à Beth. Elle se laissa convaincre.

— Oui, et j'en rends grâce à Dieu, répliqua Beth. Si elle ne l'avait pas gardée, Caitlin serait morte dans l'accident. Nous n'avions pas de siège bébé, ni rien pour la protéger.

— Nous allons pouvoir la poursuivre, dit Lorraine, qui n'écoutait pas. Et l'obliger à te rendre Caitlin.

— Non ! protesta Beth avec la dernière énergie. Car il y a une chose qu'il faut que vous sachiez. Je n'ai pas donné Caitlin à Faye. Si Faye l'a gardée, c'est parce que dans un accès de panique, Jamie s'est enfui en la lui laissant.

— Non, c'est impossible ! dit Lorraine en regardant son mari. Notre petit Jamie n'aurait jamais fait une chose pareille.

Elle se tourna vers Beth, l'implorant du regard.

— Tu ne te souviens de rien. Ce qui s'est passé, tu ne le sauras jamais. Tu ne peux pas te fier à ce que raconte cette femme. Elle est prête à tout pour garder Caitlin.

— Peut-être que je ne me souviens pas, admit Beth, mais s'il y a une chose dont je sois sûre, c'est bien de celle-là. Jamie pensait que nous ferions plus vite si nous partions seuls. Il m'a fait monter dans la voiture et…

La voix lui manqua. Elle déglutit avec force et porta sa main à ses lèvres pour les empêcher de trembler.

Faye se raidit. Elle reverrait toujours le visage tourmenté de Beth collé à la vitre du coupé sport. Jamais elle n'avait eu la moindre intention d'abandonner son bébé. La vérité, c'est qu'elle n'avait pas eu le choix. Comme elle s'apprêtait à en témoigner, Faye sentit s'accentuer sur son bras la pression de la main de Hugh. Elle était prête à bondir et il l'enjoignait de ne pas intervenir. Il fallait laisser faire Beth.

— Il a demandé à Faye de la garder jusqu'à ce que nous puissions revenir la chercher… puis il a démarré et nous sommes partis à toute vitesse. Faye est restée dans le parc, seule au milieu de la tempête, notre bébé dans les bras. Voilà pourquoi je ne supporte pas la vue de ce parc.

— C'était en novembre, et il y avait une tempête de glace. Que viennent donc faire les papillons là-dedans ? demanda Harold, visiblement perplexe.

— Je portais un pull brodé de papillons multicolores, expliqua Faye. Pendant toute la durée de l'accouchement, Beth a gardé les yeux rivés sur ce pull. Je suppose que l'image s'est gravée si profondément en elle que même le traumatisme n'a pas réussi à l'effacer.

— C'est quand ces rêves de papillons ont commencé que Hugh s'est remis à chercher l'enfant. Et c'est comme ça qu'il est tombé sur vous, n'est-ce pas ?

— Oui.

— Je comprends, maintenant, pourquoi le détective que nous avions engagé a fait chou blanc. Il lui manquait une pièce du puzzle.

Contrairement à Harold, Lorraine ne semblait pas se réjouir d'avoir enfin retrouvé sa petite-fille.

— Nous te paierons les meilleurs avocats, déclara-t-elle, farouchement déterminée à arriver à ses fins. Il va falloir que tu te battes, mais tu finiras par obtenir la garde de la petite.

Beth secoua la tête.

— Non, Lorraine. Laissez les avocats où ils sont. *Nous* n'en avons pas besoin. *Je* n'en ai pas besoin non plus, sauf si vous me contraignez à aller en justice. Faye a une avocate. Une excellente avocate.

Elle adressa un petit sourire à Faye et à Hugh. Faye sourit en retour. L'avenir de Caitlin était en jeu ; ils se serraient les coudes. Beth redressa les épaules et releva le menton, prête à se battre pour défendre les intérêts de sa fille.

— Elle va l'aider à légaliser la situation le plus rapidement possible. Car je n'ai pas l'intention de demander la garde de Caitlin. C'est moi qui l'ai conçue, certes, mais je ne suis pas sa mère. C'est Faye, sa maman.

Lorraine regardait Beth comme si elle avait perdu la tête.

— Tu ne peux pas la lui laisser. Caitlin est tout ce qu'il nous reste.

Eperdu, le regard de Lorraine allait de Beth à Faye. En désespoir de cause, elle se tourna vers son mari.

— Nous n'aurons même pas le droit de la voir, dit-elle, au bord de l'hystérie. Dans l'Ohio, le droit de visite des grands-parents n'est pas reconnu. Il faut trouver un moyen…

— Ça suffit ! ordonna Harold en la secouant un peu. Il est hors de question que nous nous opposions aux décisions que prendront Beth et Faye. J'ai perdu mon fils. Il se peut que cette adorable petite fille ne m'appelle jamais grand-papa, mais je refuse d'être pour le reste de mes jours le mari de la « Méchante Dame ».

Il fit un pas vers Beth et lui tendit la main.

— Ma femme et moi, nous serions très heureux d'avoir une petite place dans la vie de Caitlin. Je vous donne ma parole qu'il ne sera plus jamais question ni d'enquête ni de procès.

Ignorant sa main tendue, Beth se haussa sur la pointe des pieds et l'embrassa sur la joue.

— Quand l'accident a eu lieu, Jamie me ramenait ici, auprès de Faye et du bébé. J'en suis intimement persuadée. Il avait peur. C'est pour cela qu'il a pris la fuite. Mais nous étions sur le point de revenir.

— Je sais, dit-il d'une voix enrouée. J'en suis moi-même convaincu.

La porte à fermeture pneumatique s'ouvrit et Caitlin arriva en gambadant, avec une longueur d'avance sur Kevin. Elle pivota sur ses talons et montra son dos.

— Y a même pas de papillons ! claironna-t-elle fièrement. Kevin non plus en a pas sur lui.

Kevin s'avança vers Beth et la prit dans ses bras.

— Ça va ? demanda-t-il doucement.

— Oui, très bien, répondit Beth en souriant à travers ses larmes.

Caitlin s'agrippa aux jambes de sa mère et dit d'un ton implorant :

— Maman, j'ai faim. Je veux un gâteau.

Elle se penchait en arrière et ses cheveux touchaient par terre. Caitlin prit les petites mains qui enserraient ses jambes et aida la fillette à se redresser.

— Méchante dame ! lança-t-elle soudain en fusillant Lorraine du regard. Va-t'en ! Je t'aime pas !

Lorraine sécha ses larmes. Se tamponnant les yeux avec le mouchoir de son mari, elle déclara :

— Je ne suis pas une méchante dame, Caitlin.

— Tu fais pleurer ma maman.

— Elle ne le fera plus, je te le promets, dit Harold en s'agenouillant maladroitement à côté de Caitlin.

Sans lâcher les mains de Faye, elle se tourna vers lui et le considéra d'un air méfiant.

— Est-ce tu es un méchant monsieur ?

— Non, pas du tout. Je suis très gentil, au contraire. Et ma femme est gentille, elle aussi.

— Elle ? dit Caitlin, visiblement sceptique.

— Lorraine, oui.

Caitlin le jaugea de nouveau de la tête aux pieds.

— T'as des gâteaux ? demanda-t-elle.

— Tu sais quoi ? J'en ai dans ma voiture. Tu en veux ?

Il se tourna vers Faye pour lui demander la permission. Caitlin leva les yeux vers elle.

— Je peux, maman ?

— Oui, ma chérie.

Harold baissa la tête, en proie à une émotion devenue incontrôlable.

— Merci, dit-il lorsqu'il se fut ressaisi.

Il se releva péniblement et Caitlin lui tendit la main.

— C'est quoi, comme gâteaux ? demanda-t-elle.

— Des Pépitos. Ceux que je préfère.

— Moi aussi.

— Je connaissais un petit garçon, autrefois, qui adorait les Pépitos.

— Les garçons sont trop bêtes, décréta Caitlin d'un ton sans appel, avant de partir, main dans la main, avec Harold.

Faye la laissa s'en aller avec le père de Jamie sans aucune appréhension car Hugh avait raison : elle pouvait partager l'amour de Caitlin, comme Hugh partageait celui qu'elle leur donnait à sa fille et à lui. Elle se tourna vers l'homme de sa vie et il lui sourit, devinant une fois de plus ses pensées.

— Tout est bien qui finit bien, dit-il tout bas afin de n'être entendu que d'elle seule.

— Oui, répondit Faye d'une voix vibrante d'émotion.

Elle aurait pu lui dire qu'elle l'aimait, mais cela aussi il le savait déjà.

Caitlin se planta devant Lorraine et la considéra longuement.

— Elle n'est pas méchante, alors ?

Levant les yeux vers sa femme, Harold sécha une larme qui coulait sur sa joue.

— Non, elle n'est pas méchante du tout.

Convaincue, Caitlin tendit une main vers Lorraine.

— Alors tu peux avoir un gâteau.

Épilogue

— Bonjour à vous, gentes demoiselles ! Je vous emmène ?

Hugh gara la Chevrolet sur le bas-côté de l'allée, le long de laquelle Faye promenait sa fille. Confortablement installée dans sa poussette, Caitlin, bavarde comme une pipelette, mettait en garde Addy contre les dangers de la route. Sous le capuchon de son anorak violet, son nez rouge lui donnait un petit air comique.

— Non, merci. Nous allons continuer à pied, répondit Faye.

Elle devait avoir le nez rouge, elle aussi, avec le froid qu'il faisait. Ces températures hivernales, très inhabituelles à la mi-octobre, n'étaient pas près de se radoucir, à en croire les derniers bulletins météo.

— Je suis gelée, marmonna Caitlin. Je veux rentrer avec Hugh.

— Nous sommes presque arrivées, mon chaton. Pense au bon chocolat chaud et aux gâteaux qui t'attendent à la maison.

— Bon, d'accord, dit la fillette, ragaillardie par la perspective du goûter.

— Que se passe-t-il, au cottage ? demanda Hugh.

— Beth et Kevin se disputent à cause d'une paire de rideaux, expliqua Faye en levant les yeux au ciel. Beth est très fière de ceux qu'elle a achetés l'autre jour, à la brocante paroissiale. Des rideaux en Nylon couverts de roses et de fougères, comme on en voyait dans les années 50. Vraiment abominables. Mais elle les adore et veut absolument que Kevin les accroche à la fenêtre de sa chambre. Caitlin et moi les avons laissés régler leur différend.

Kevin louait le cottage depuis la semaine précédente. Faye l'avait fait isoler et avait fait installer deux radiateurs supplémentaires, de manière à le rendre confortable, même par grand froid. Kevin et Beth pouvaient s'y rencontrer en toute intimité, même s'ils ne vivaient pas encore ensemble, par souci des convenances. Aux dernières nouvelles, leur mariage était programmé pour le printemps prochain. Mais si cela n'avait tenu qu'à Kevin, il aurait eu lieu bien plus tôt.

Beth s'était inscrite à l'université, à Dayton, à quarante-cinq minutes par l'autoroute en montant vers le nord. Elle avait décidé de faire de la psychologie, domaine auquel elle s'était, par la force des choses, beaucoup intéressée au cours de ces trois dernières années. Compte tenu des connaissances qu'elle avait engrangées, elle n'aurait aucun mal à se remettre sur les rails.

Elle avait par ailleurs repris contact avec son père et sa belle-mère, à Boston. Via Internet. Il lui avait paru normal que Trace Harden sache que sa petite-fille était vivante. L'occasion ne s'en était pas encore présentée, mais Beth prévoyait de le faire venir, un de ces jours.

Hugh gara la Chevrolet juste derrière le break de Faye, et les attendit devant la serre, fermée pour l'hiver. Steve et Hugh s'étaient chargés de vider les cascades et de déménager les fougères arborescentes et les autres grandes plantes tropicales dans la pièce réservée aux chrysalides, où il serait plus facile de les maintenir en vie en attendant le retour des beaux jours.

Faye avait repris son travail à l'hôpital. A son grand soulagement, la nouvelle de son mariage avec Hugh, dans la deuxième semaine d'août, n'était plus le « scoop de l'été » dont parlaient toutes ses collègues infirmières. Mais quelque chose lui disait qu'un autre événement, survenant dans sa vie tout aussi inopinément, n'allait pas tarder à alimenter les conversations.

Hugh avait fait connaissance avec certains de ses amis et collègues de travail. Tous l'avaient trouvé merveilleux. Il les accompagnait à l'église, Caitlin et elle, et il allait avec Steve soutenir l'équipe de football de Bartonsville quand elle jouait à domicile. Un dimanche soir, ils étaient allés dîner chez les parents de Kevin. Hugh semblait très bien se faire à la vie provinciale dans leur petit bourg du fin fond de l'Ohio. A tel point qu'il avait décidé de rester à demeure dans cette entreprise de travaux publics de Cincinnati. Son prochain contrat consistait à restaurer un pont vieux de cent ans, au-dessus du fleuve Ohio. Ce nouveau projet l'emballait nettement plus que la construction du centre commercial, qui touchait à sa fin.

Le bonheur de Faye était complet. Elle avait tout ce dont elle avait toujours rêvé. Et même davantage. Réprimant un sourire, elle posa une main sur son ventre. Elle n'avait pas encore fait de test de grossesse ni vu un médecin. Elle était sûre, cependant, d'être enceinte. Cette certitude l'a fit rosir de plaisir.

Un second amour. Un second enfant. Un miracle, dans les deux cas.

Caitlin descendit de la poussette et courut vers Hugh.

— Je veux ma Barbie, dit-elle d'une voix haletante tandis qu'il la soulevait au-dessus de sa tête. Elle est dans la serre.

— Tu dois te tromper, mon chaton, fit remarquer Faye. Tu n'y es pas allée depuis plusieurs jours.

— Elle a tellement de poupées que je me demande comment elle arrive encore à se rendre compte qu'il lui en manque une !

Hugh frotta son nez contre celui de la fillette pour lui montrer qu'il plaisantait.

— Elle y arrive, crois-moi !

Ce soir, quand ils seraient couchés, et enfin seuls, elle lui dirait, pour le bébé. Comment réagirait-il ? Peut-être allait-il trouver que c'était trop tôt… ? Mais quand elle vit son mari se diriger vers la serre, Caitlin blottie contre lui, ses doutes se dissipèrent comme le brouillard sous le soleil.

Non, il serait heureux de voir la famille s'agrandir. Car ils formaient une vraie famille, à présent. Une famille très spéciale, certes. Car Beth et Kevin joueraient toujours un rôle dans la vie de Caitlin. Leurs enfants grandiraient ensemble.

Les avocats étudiaient le moyen le plus judicieux d'entériner l'adoption de Caitlin par Faye. Le cas n'était pas banal, ils en étaient tous conscients, aussi convenait-il de bien réfléchir avant d'agir. L'issue de ces démarches ne faisait aucun doute, cependant. A terme, Caitlin serait, légalement et irrévocablement, la fille de Faye.

Harold et Lorraine étaient rentrés chez eux au début du mois, mais ils avaient prévenu qu'ils reviendraient à Thanksgiving.

— Tant qu'à faire, invitons-les ici, avait suggéré Peg en apprenant la nouvelle. Après tout, ce sont les grands-parents de Caitlin. Elle a le droit d'avoir des grands-parents, comme tout le monde. Surtout des grands-parents aussi riches !

— Je n'y avais pas pensé, avait admis Faye, rêveuse.

Même enceinte jusqu'aux yeux, Peg ne perdait jamais le nord. Une invitation en bonne et due forme avait donc été envoyée aux Sheldon. Consultée au préalable, Beth avait donné son accord et Kevin s'était proposé pour préparer le cottage en vue de leur arrivée.

Hugh ouvrit la porte de la serre. Une fois à l'intérieur, il posa Caitlin par terre pour qu'elle puisse chercher sa poupée. Lorsque Faye et Addy les rejoignirent, Hugh était planté devant la cage des monarques, en train de regarder quelque chose. Caitlin, qui avait retrouvé sa Barbie dans le bac à sable, s'évertuait à la débarbouiller avec un morceau d'essuie-tout qu'elle avait arraché du rouleau, caché sous le comptoir.

— Qu'est-ce que tu regardes, mon chéri ?

Il lui montra le fond de la cage. Perchés sur une tige de laiteron desséché, deux monarques battaient lentement des ailes.

— Je ne savais pas que tu en avais encore à naître, dit-il.

— Moi non plus. J'ai dû oublier une ou deux chrysalides, quand nous avons libéré le dernier contingent.

Les monarques étaient des papillons migrateurs. Poussés par l'instinct, tous ceux qui étaient nés pendant l'été entreprenaient le long et périlleux voyage jusqu'au Mexique, où ils prenaient leurs quartiers d'hiver. Faye avait relâché ses papillons une semaine avant les premières gelées.

— Ils n'ont aucune chance, les malheureux, si tu les libères maintenant. On annonce de fortes gelées pour les trois nuits à venir.

— Je sais. C'est vraiment dommage. Eux qui ont été programmés pour s'envoler vers le Sud vont devoir passer leur vie ici.

Elle les nourrirait, bien sûr, et bien à l'abri dans la serre, ils ne risqueraient pas de mourir de froid. Mais il était vraiment regrettable qu'ils ne puissent pas rejoindre leurs congénères.

Hugh se tourna vers elle.

— Et si nous leur faisions faire une partie du trajet en voiture ? Tu crois qu'ils seraient capables de retrouver leur chemin, le moment venu ?

— Cela va nous obliger à parcourir trois à quatre cents kilomètres.

Faye connaissait suffisamment les monarques pour savoir que leur instinct les conduirait infailliblement jusqu'à leur villégiature, et que leur descendance, au printemps prochain, reviendrait à Bartonsville pour recommencer le cycle.

— A vrai dire, je pensais pousser un peu plus loin, avoua Hugh.

L'intensité de son regard et la chaleur de son corps, tout près du sien, paralysèrent un instant la conscience de Faye. Il lui fallut plusieurs secondes pour capter le sens de son message.

— Que dirais-tu d'une petite lune de miel au Texas ? Il faut que je me débarrasse des affaires qui sont restées là-bas. Sans compter que nous sommes mariés depuis bientôt deux mois. Il est grand temps, bon sang, que nous passions quelques jours en amoureux !

— T'as dit un gros mot. C'est pas beau ! fit remarquer Caitlin de sa petite voix flûtée, derrière eux.

Hugh ouvrit de grands yeux étonnés.

— Zut ! Elle m'a encore eu !

278

— Elle a l'oreille aussi fine qu'une chauve-souris, dit Faye.

— Je tâcherai de m'en souvenir.

Elle contempla les deux papillons orange et noirs, par-dessus son épaule. Mark aimait tellement les monarques. Elle aussi, d'ailleurs. Les papillons faisaient désormais partie de son univers. Et puis, elle avait très envie de se retrouver en tête à tête avec son mari. La maison était grande, certes, et la chambre de Beth se trouvait à l'autre bout du couloir. Mais ils n'étaient jamais seuls.

— Je ne retourne pas à l'hôpital avant la semaine prochaine. Je peux sûrement demander à Peg de garder Caitlin et Addy.

— Dans son état, il vaut mieux pas. Nous devrions plutôt demander à Beth.

Elle pivota de nouveau pour le regarder dans les yeux. Il attendait sa réponse, anxieux de savoir si elle était vraiment prête à laisser Beth s'investir dans l'éducation de Caitlin.

Elle sourit.

— Je suis sûre qu'elle saura se débrouiller. Elle va tout à fait bien, maintenant. Et Kevin est là pour la soutenir. A eux deux, ils s'en sortiront parfaitement.

Il l'attira à lui pour un baiser plein de fougue et de passion.

— Aider ces deux retardataires à gagner le Mexique est ma façon à moi de les remercier de m'avoir amené ici et de m'avoir permis de te rencontrer.

— Je tiens, moi aussi, à les remercier de t'avoir mis sur mon chemin.

Le cœur de Faye était aussi léger que les papillons qu'ils allaient secourir. Nouant les bras autour du cou de Hugh, elle l'embrassa, éperdue de bonheur.

Découvrez dans votre collection

ÉMOTIONS

un extrait du titre

Les héritiers de Bellefontaine
de EVE GADDY

*Laissez-vous emporter au cœur
de la Louisiane dans la plantation
familiale de Bellefontaine sur les
rives du Mississipi...*

– En vente en juin –

A paraître en juin 2004 dans la collection
ÉMOTIONS

Les Héritiers de Bellefontaine,
de Eve Gaddy

Extrait

« Lorsqu'elle eut enfin terminé de mettre de l'ordre dans les comptes de l'exploitation, Casey éteignit son ordinateur et quitta la pièce dans laquelle elle travaillait.

Elle sortit du bâtiment dans lequel elle avait installé son bureau pour se diriger vers le corps de logis principal et fut comme happée par une gangue de chaleur moite qui rendit sa respiration plus difficile. Sa peau ne tarda pas à se couvrir d'une fine pellicule de sueur.

C'était un temps habituel, en Louisiane, en cette fin de mois d'août et Casey aurait dû y être habituée. Après tout, elle avait passé toute sa vie sur cette plantation de Bellefontaine située près du fleuve Mississippi. Mais ce soir-là, l'impression d'humidité était particulièrement étouffante.

Elle essuya son front du revers de la main et s'immobilisa, fronçant les sourcils. Elle sentait distinctement une odeur de fumée. Pas la fumée de cigarette. Quelque chose de plus âcre, de plus lourd...

Levant la tête, Casey regarda autour d'elle, le cœur battant. Elle distinguait la forme de la maison dans l'obscurité croissante mais, à son grand soulagement, aucune lueur suspecte n'en provenait.

Pressant le pas, elle s'approcha et constata avec une frayeur redoublée que l'odeur devenait de plus en plus forte. Brusquement, une explosion se fit entendre à l'arrière de la maison, suivie de près par une langue de flamme orange et par le son strident d'une alarme.

Bellefontaine brûlait !

Casey se mit à courir de toutes ses forces le long de la route de terre battue qui conduisait au bâtiment. Jamais les quelques centaines de mètres qui le séparaient de la serre ne lui avaient paru si longs à parcourir.

Sa famille était à l'intérieur, ne cessait-elle de se répéter, envahie par une terreur sans nom. Sa nièce Megan, sa tante Esme, Tanya, la nounou de Megan… Tous sauf Jackson, son frère, le seul qui aurait pu leur venir en aide.

Contournant la vieille demeure au pas de course, Casey se dirigea vers la porte d'entrée. Là, elle prit une profonde inspiration avant de l'ouvrir, priant pour que l'appel d'air n'attire pas les flammes.

Heureusement, tel ne fut pas le cas : l'incendie paraissait pour le moment ne faire rage que sur l'arrière. Par contre, la fumée avait envahi toute la maison.

Elle repoussa la porte et courut jusqu'au bâtiment contigu à la serre où se trouvait son bureau et où étaient entreposés plusieurs tuyaux. Elle en prit deux et les enroula autour de ses épaules avant de revenir au pas de course.

Mais, alors qu'elle approchait de la maison, une ombre se découpa brusquement devant elle, à contre-jour devant l'incendie. Casey essaya de l'éviter mais la silhouette se décala également et elle la percuta de plein fouet. Alors qu'elle allait basculer en arrière, une poigne d'acier la retint.

La jeune femme regarda avec stupeur l'homme contre lequel elle venait de buter. Aveuglée par l'incendie, elle ne pouvait distinguer son visage.

— Qui êtes-vous? demanda-t-elle, essoufflée.

— Je m'appelle Nick, Nick Devlin.

— Au fond, peu importe, déclara la jeune femme en lui tendant l'un des tuyaux qu'elle portait. Tant que vous êtes là pour aider.

Le nuage qui masquait la lune se déplaça alors, laissant tomber sur eux une lueur bleutée. Casey distingua alors les traits de Nick Devlin.

Un nez droit et aristocratique, des yeux légèrement fendus en amande, des lèvres minces et sensuelles, un menton volontaire et de hautes pommettes que mettaient en valeur des cheveux de jais.

— Vous devez être Casey, dit l'inconnu d'une voix grave. Je suis un ami de votre frère.

— Ravie de faire votre connaissance, répondit-elle machinalement tandis que tous deux remontaient à vive allure en direction de la maison.

Nick brancha les deux tuyaux et lui en tendit un.

— A vous l'honneur, Princesse, dit-il, un léger sourire aux lèvres.

En d'autres circonstances, Casey aurait protesté contre ce surnom ridicule et déplacé dans la bouche d'un inconnu. Mais elle se sentait trop fatiguée pour cela. Tout ce qui comptait en cet instant, c'était de sauver Bellefontaine. Se tournant vers les flammes, elle entreprit donc de les arroser aussi efficacement qu'elle le put. Derrière elle, elle entendit alors le bruit des sirènes et elle bénit le Ciel. Le foyer de l'incendie dégageait une épaisse fumée qui entourait Casey de toutes parts. Brusquement, elle se sentit prise de vertige et ses jambes se dérobèrent sous elle.

Lorsqu'elle rouvrit les yeux, quelques instants plus tard, elle se trouvait allongée sur la pelouse du jardin. Nick Devlin était agenouillé au-dessus d'elle, arrosant son visage d'eau glacée. La jeune femme cligna des yeux, recouvrant lentement ses esprits.

— Qu'est-ce qui m'est arrivé ? demanda-t-elle en tentant de se redresser.

Nick posa doucement la main sur son épaule, la forçant à rester allongée.

— Je vous ai portée jusqu'à l'avant de la maison, à l'écart de la fumée. Tout le monde est sain et sauf, rassurez-vous. Les membres de votre famille sont à l'arrière : ils regardent travailler les pompiers.

Malgré les circonstances, Casey ne put s'empêcher de remarquer combien la voix de Nick était belle et profonde.

— Je vais bien, répondit la jeune femme, agacée par son ton condescendant.

Alors qu'elle tentait de se relever, elle fut terrassée par une prodigieuse quinte de toux qui démentait ses paroles. Nick attendit qu'elle se soit calmée pour lui faire avaler un peu d'eau.

— Faites attention, Princesse, dit-il en souriant. Si vous vous agitez trop, vous risquez de vous évanouir dans mes bras une fois de plus. »

Ne manquez pas le 1er juin 2004,
Les Héritiers de Bellefontaine,
de Eve Gaddy,

à paraître dans la collection
ÉMOTIONS

Chère lectrice,

Vous nous êtes fidèle depuis longtemps?
Vous venez de faire notre connaissance?

C'est pour votre plaisir que nous avons
imaginé un rendez-vous chaque mois
avec vos auteurs préférés, vos
AUTEURS VEDETTE dans les
collections Azur et Horizon.

Les AUTEURS VEDETTE vous
donneront rendez-vous pour de
nouveaux livres vedette.

Pour les reconnaître, cherchez
l'étoile... Elle vous guidera!

Éditions Harlequin

HARLEQUIN

LE FORUM DES LECTEURS ET LECTRICES

CHERS(ES) LECTEURS ET LECTRICES,

VOUS NOUS ETES FIDÈLES DEPUIS LONGTEMPS?

VOUS VENEZ DE FAIRE NOTRE CONNAISSANCE?

SI VOUS AVEZ DES COMMENTAIRES, DES CRITIQUES À
FORMULER, DES SUGGESTIONS À OFFRIR, N'HÉSITEZ
PAS… ÉCRIVEZ-NOUS À:

> LES ENTERPRISES HARLEQUIN LTÉE.
> 498 RUE ODILE
> FABREVILLE, LAVAL, QUÉBEC.
> H7R 5X1

C'EST AVEC VOS PRÉCIEUX COMMENTAIRES QUE NOUS
ALLONS POUVOIR MIEUX VOUS SERVIR.

DE PLUS, SI VOUS DÉSIREZ RECEVOIR UNE OU
PLUSIEURS DE VOS SÉRIES HARLEQUIN PRÉFÉRÉE(S)
À VOTRE DOMICILE, NE TARDEZ PAS À CONTACTER LE
SERVICE D'ABONNEMENT; EN APPELANT AU
(514) 875-4444 (RÉGION DE MONTRÉAL) OU 1-800-667-4444
(EXTÉRIEUR DE MONTRÉAL) OU TÉLÉCOPIEUR
(514) 523-4444 OU COURRIER ELECTRONIQUE:
AQCOURRIER@ABONNEMENT.QC.CA OU EN ÉCRIVANT À:

> ABONNEMENT QUÉBEC
> 525 RUE LOUIS-PASTEUR
> BOUCHERVILLE, QUÉBEC
> J4B 8E7

MERCI, À L'AVANCE, DE VOTRE COOPÉRATION.

BONNE LECTURE.

HARLEQUIN.

VOTRE PASSEPORT POUR LE MONDE DE L'AMOUR.

69 **L'ASTROLOGIE EN DIRECT**
TOUT AU LONG
DE L'ANNÉE.

(France métropolitaine uniquement)

Par téléphone 08.92.68.41.01

0,34 € la minute (Serveur SCESI).

Composé et édité par les
*éditions*Harlequin
Achevé d'imprimer en mai 2004

BUSSIÈRE

GROUPE CPI

à Saint-Amand-Montrond (Cher)
Dépôt légal : juin 2004
N° d'imprimeur : 42066 — N° d'éditeur : 10612

Imprimé en France